1497

÷ 6⁹⁹

99⟌83

ADIEU DOULEURS!

LES ÉDITIONS QUEBECOR
une division de Groupe Quebecor inc.
4435, boul. des Grandes Prairies
Montréal (Québec)
H1R 3N4

Distibution : Québec Livres

© 1992, Les Éditions Quebecor, Stan van Duyse M.D.C.M.

Dépôt légal, 1er trimestre 1992
Bibliothèque nationale du Québec
Bibliothèque nationale du Canada
ISBN : 2-89089-909-8

Textes et réalisation : Pierre-Claude Élie
Documentation : Claude Gendreau D. Ac.
Révision : Joanne Marchessault
Photographies : Luc Desjardins
Mise en page : Jean Breton
Conception et réalisation graphique
de la page couverture : Sylvie Archambault
Photo de la page couverture : Claude Michaud

Impression : Imprimerie L'Éclaireur

Nous tenons à remercier la compagnie Horizon Santé International qui a mis à notre disposition ses appareils de neurostimulation transcutanée pour les photographies illustrant les nombreuses applications dans ce livre.

ADIEU DOULEURS!

Stan van Duyse M.D.C.M.
en collaboration avec
Pierre-Claude Élie

Les Éditions Québecor

*Je dédie ce livre à Bernadette de Lovinfosse
qui a été pour moi une grande source d'inspiration.*

Table des matières

Chapitre V

Avant-propos

Si le bonheur est la somme de tous les malheurs qui ne nous sont pas arrivés, la santé n'est-elle pas l'absence de maladie? Non, la santé représente beaucoup plus que cela! C'est, comme l'a défini l'Organisation mondiale de la santé, "Un état de complet bien-être physique, mental et social, et non pas simplement l'absence de maladie ou d'infirmité".

Nos connaissances actuelles devraient permettre à l'homme de s'épanouir pleinement et de vivre cet état de bien-être jusqu'à un âge centenaire. Comment se fait-il alors que nous soyons toujours prisonniers de la maladie et de la douleur? Existe-t-il des moyens pour dire adieu à la douleur et vivre en santé à tout âge? Oui, il en existe et vous trouverez dans ce livre une foule de conseils pratiques pour y arriver.

Il y a deux façons d'aborder la vie. On peut se considérer comme une victime impuissante devant les événements qui surviennent. Ou bien, on peut essayer de comprendre ce qui nous arrive et agir en personne responsable. Ainsi en est-il des problèmes de santé. On peut jouer le rôle de "victime de la vie" et rechercher constamment le remède miracle qui va nous guérir. Ou alors on comprend que la majorité de nos problèmes de santé sont reliés à notre mode de vie qui n'est pas en harmonie avec la nature. Nos problèmes sont autant de signaux avertisseurs nous invitant à prendre notre santé en mains et à être aux commandes de notre propre vie.

Notre société actuelle a développé chez plusieurs d'entre nous une mentalité du "fast food". Mais s'il est vrai qu'on puisse prendre un repas en vitesse, on ne peut pas tout régler de cette façon. Surtout pas les problèmes de santé. Malheureusement, bien des gens croient à la "fast médecine". Après avoir cultivé de mauvaises habitudes pendant des années, ils s'imaginent pouvoir éliminer la maladie ou les douleurs avec des "remèdes-minute". De même qu'on a appris à lire, à écrire ou à cuisiner, on peut apprendre à vivre en santé : petit à petit tous les jours, dans son assiette, au travail, dans ses loisirs. Il faut simplement y mettre un peu de temps.

Ce livre comprend trois parties. La première décrit dans un langage très simple les mécanismes de la douleur en mettant en lumière l'importance du système nerveux dans la transmission des signaux douloureux. Vous découvrirez une méthode efficace, naturelle et d'une grande facilité d'utilisation: la neurostimulation transcutanée avec un appareil TENS. Grâce à l'électronique moderne et la miniaturisation, un bon appareil TENS peut non seulement soulager des maux et des douleurs sans effets secondaires mais aussi améliorer grandement la santé en réharmonisant les énergies.

La deuxième partie est essentiellement un guide pratique sur l'utilisation d'un appareil TENS à titre préventif et pour traiter de nombreuses affections courantes.

Enfin, dans la troisième partie, vous trouverez de judicieux conseils sur l'art de vivre en santé à tout âge par une saine alimentation, des méthodes d'assainissement de l'organisme, la pratique régulière d'exercices physiques et le contrôle du stress par la relaxation. Un chapitre spécial est consacré à l'arthrite et au rhumatisme, une des principales sources de douleur de nos jours.

À une époque où de plus en plus de gens s'intéressent à des thérapies naturelles, Adieu douleurs! propose une approche de la santé résolument contemporaine. Nous avons voulu intégrer les connaissances en neurobiologie et les dernières données technologiques aux meilleurs éléments de très anciennes méthodes naturelles de santé. Cette approche devrait donner à chacun une plus grande liberté dans ses choix.

Vivre en santé ne se résume pas simplement à suivre des recettes, si éprouvées soient-elles. C'est d'abord une question d'attitude. En décidant de prendre en charge sa santé, on met en branle des ressources extraordinaires permettant de nous délivrer du poids de la douleur, du stress et de la maladie. On ouvre la porte à la réalisation de son potentiel et de son plein épanouissement sur tous les plans : physique, émotionnel, mental, spirituel et social.

Première partie

Les mécanismes de la douleur et la neurostimulation

Chapitre I
La douleur

Aie ! Ça fait mal ! Très tôt dans notre existence, nous avons lancé ce cri salutaire pour exprimer notre souffrance et notre désarroi devant la douleur.

Piqûre d'insecte, brûlure de soleil, éraflure du genou, coup de marteau sur le pouce, coupure aux mains, migraine, mal de dos, règles douloureuses, bursite à l'épaule, douleur arthritique, contractions avant l'accouchement, point causé par l'angoisse, et tant d'autres expériences nous ont fait connaître la douleur. Mais si nous avons appris à connaître la douleur, et même dans certains cas à l'apprivoiser, avons-nous appris à la comprendre? Pour la plupart d'entre nous, elle demeure un grand mystère. Et il en est sûrement ainsi depuis les débuts de l'humanité.

Source importante de stress tant physique que psychologique, la douleur demeure la cause la plus fréquente des consultations médicales. Qu'il s'agisse d'une douleur bénigne, d'une douleur aiguë ou d'une douleur chronique, nous cherchons toujours des moyens de soulager, de contrôler et possiblement d'éliminer ses effets.

À chacun sa perception de la douleur

La douleur est avant tout une expérience très personnelle. S'il est vrai que l'on peut mesurer en laboratoire l'intensité de la douleur causée par un stimulus douloureux, un choc électrique par exemple, il en va tout autrement dans la vie.

La mémoire, le contexte dans lequel nous nous trouvons, notre état de santé, notre éducation, la société dans laquelle nous vivons et même nos croyances religieuses sont autant de facteurs influençant notre perception de la douleur. Le joueur de hockey professionnel recevant une solide mise en échec alors qu'il est en possession de la rondelle, peut ressentir très peu de douleur. Par contre, une personne non entraînée, subissant un traumatisme équivalent, peut ressentir une douleur beaucoup plus forte provoquant même des nausées ou une perte de conscience.

Chacun de nous a sa propre définition de la douleur, colorée par nos sensations et nos émotions bien personnelles. Il n'a donc jamais été facile de trouver une définition de la douleur convenant à tous. En 1979, Merskey, un spécialiste britannique ayant beaucoup écrit sur les aspects psychologiques de la douleur, a proposé une définition, adoptée depuis par l'Association internationale pour l'étude de la douleur:

"La douleur est une expérience sensorielle et émotionnelle désagréable liée à une lésion tissulaire existante ou potentielle, et décrite en fonction de cette lésion."

Le principal mérite de cette définition est de reconnaître deux dimensions intimement liées dans l'expérience de la douleur : la dimension sensorielle et la dimension émotive.

Au-delà des sensations physiques désagréables causées par la douleur, de nombreuses émotions vont modifier de façon plus ou moins négative notre perception de son intensité. Cela explique la difficulté pour le médecin de mesurer la souffrance du patient. Au mieux, peut-il être attentif à la description donnée par le patient et tenter, au gré de ses connaissances, de trouver un moyen de le soulager.

Chaque personne a un tempérament et un vécu qui lui sont propres, faisant de lui un individu unique avec une aptitude personnelle à la douleur.

Prenons l'exemple d'une personne de tempérament nerveux sans grande vitalité et susceptible "d'attraper" le premier microbe qui passe; sa perception de la douleur sera plus intense que celle d'une autre, au tempérament bilieux, habituée à foncer et à manifester son dynamisme au travail et dans ses activités de loisirs.

Les personnes voyant toujours la vie en rose auront tendance à décrire leur douleur comme étant normale, les poussant même à sous-estimer l'importance de leurs symptômes. Par contre, les personnes à tendance dépressive ressentiront leur douleur comme étant très grave, leur causant un grand inconfort.

Dans les cas graves de douleurs chroniques, certains vivent un véritable calvaire, emprisonnés dans un engrenage débilitant qui les poussent dans un état dépressif et les mènent même jusqu'à une très grande fragilité psychologique.

La peur, l'inquiétude, l'anticipation de la douleur sont autant d'émotions susceptibles d'augmenter l'intensité des sensations physiques. Combien de gens arrivent chez le dentiste tendus, appréhendant la douleur de la piqûre anesthésiante. Il faut d'abord apprendre à dédramatiser la souffrance pour mieux l'accepter et mieux la vivre. Il devient donc essentiel de pouvoir contrôler la perception de douleur en adoptant une attitude à la fois calme et courageuse.

Le plus formidable des réseaux électriques

La douleur est un phénomène complexe. On peut difficilement en parler sans tenter de comprendre les mécanismes physiologiques qui la régissent. Commençons par un exemple qui va nous permettre de voyager dans le corps.

Vous décidez de retirer un plat du four et votre main touche par mégarde une des grilles. En touchant la grille brûlante, un réflexe s'est déclenché vous faisant retirer rapidement votre main. De petits récepteurs cutanés ont enregistré la sensation de chaleur intense pouvant endommager votre main. Chaque centimètre carré de votre peau comporte des milliers de terminaisons nerveuses qui répondent à toutes sortes de stimulations comme la chaleur, le froid, la pression et bien sûr la douleur. Les récepteurs envoient au cerveau, sous forme d'impulsions électriques, des messages en moins de temps qu'il ne le faut pour faire un clin d'oeil. Par l'entremise des fibres nerveuses et des neurones, les messages sont transmis au cerveau via la moelle épinière. Les informations achèvent leur voyage dans une partie du cerveau appelée thalamus. Là, elles sont rassemblées et coordonnées pour permettre au cortex de dresser une représentation complète de l'endroit, du type et de la signification des sensations dont vous devenez conscient. Dans le cas présent, deux signaux indépendants sont retransmis. Un premier signal au neurone moteur qui fait bouger votre membre; il provoque une contraction violente retirant rapidement votre main en situation dangereuse. Heureusement, au moment où vous prenez conscience que votre main a été brûlée et où le cerveau a enregistré la douleur, la main a déjà été retirée. Le deuxième signal provoque la sensation douloureuse de brûlure.

Notre cerveau et son prolongement naturel, la moelle épinière, sont sûrement le mécanisme le plus complexe existant sur terre. À eux deux, ils forment l'unité centrale de gestion du système nerveux. Le cerveau, tel un ordinateur puissant, reçoit constamment des informations et émet à tout instant des ordres qui sont exécutés par le système nerveux. L'énergie électrique est la clé de son fonctionnement. En somme, nous nous trouvons devant un formidable réseau dont l'activité dépend de la capacité des nerfs et des neurones de transmettre des signaux produits par de très faibles charges électriques. Dans le corps humain, tous les tissus sont conducteurs d'électricité. Les nerfs ressemblent beaucoup aux câbles d'un réseau électrique; comme les fils électriques, ils sont protégés par une enveloppe protectrice et isolante, appelée gaine de myéline, qui assure une plus grande conductivité. Lorsque cette gaine est endommagée par des affections, des maladies ou des lésions, les signaux ne sont plus transmis avec autant d'efficacité. Par exemple, quand un nerf est pincé, coincé ou comprimé, comme c'est le cas pour l'hernie discale, la douleur se manifestera avec plus d'acuité.

Le cerveau fabrique des morphines naturelles

Au cours des années 70, les recherches en neurobiologie nous ont révélé une des découvertes les plus significatives de notre époque. On a découvert que notre cerveau sécrétait des substances biochimiques dont l'action ressemble à celle des morphines. On a appelé celles-ci: endorphines. Cette découverte a été capitale à notre compréhension des mécanismes de perception de la douleur. Les endorphines agissent comme de puissants analgésiques inhibant la transmission des messages douloureux, réduisant de beaucoup les sensations de douleur.

La sécrétion de ces substances naturelles explique pourquoi de grands blessés peuvent continuer à fonctionner quasi normalement pendant un certain temps après un traumatisme grave comme on l'a souvent observé lors d'accidents de la route ou sur les champs de bataille. Dans certains cas de douleur, les endorphines apportent un soulagement de nature euphorique, beaucoup plus puissant que les narcotiques qui, comme on le sait, entraînent une dangereuse accoutumance.

Vous avez peut-être déjà ressenti, après une séance d'entraînement physique, un sentiment de bien-être difficile à décrire. Les endorphines étaient responsables de cette sensation de bonheur. Certaines personnes pratiquant le "jogging" prétendent même ne plus pouvoir se passer de cet état euphorisant causé par leur activité. D'autres prétendent expérimenter ces sensations en pratiquant des techniques particulières de respiration, de relaxation profonde ou de méditation.

Malheureusement, nous ne sommes pas tous également favorisés quant au taux d'endorphines présent dans le corps; cela expliquerait, en partie, pourquoi la capacité à supporter la douleur est différente d'une personne à l'autre.

La douleur: une forme de langage

De façon générale, la douleur apparaît lorsque quelque chose ne tourne pas rond dans notre organisme. Notre cerveau perçoit une altération de notre état de santé et interprète ce changement dans notre corps comme étant dommageable ou potentiellement dommageable; il donne alors un signal d'alarme.

Malheureusement, notre éducation nous a appris à combattre la douleur plutôt qu'à l'apprivoiser. Notre tendance naturelle, et c'est tout à fait normal, consiste habituellement à vouloir éliminer le plus rapidement possible les symptômes désagréables. Mais, direz-vous, qui aime souffrir? À moins d'être dérangé mentalement, personne, bien sûr. Mais, avant d'attaquer la douleur avec un arsenal parfois dangereux, de la combattre et de vouloir la vaincre à tout prix, il faut essayer de comprendre sa signification. En la combattant agressivement, nous supprimons le symptôme, mais nous nous privons aussi d'une source importante d'information pouvant nous indiquer le chemin d'un véritable rétablissement.

Qu'a-t-elle à nous apprendre cette douleur? Est-elle reliée à un traumatisme, à un désordre organique, à un dérèglement psychologique, à l'accumulation d'émotions refoulées, au stress causé par le tra-

vail, à notre mode de vie, à nos excès alimentaires?
Dès l'apparition d'une douleur on doit, tout en utilisant des moyens pour se soulager, tenter par l'intuition et la raison d'entreprendre une recherche pour découvrir les facteurs l'ayant provoquée.

La douleur : un enseignement précieux

Il y a plusieurs sortes de douleurs. Certaines douleurs aiguës ou douleurs chroniques, ne correspondent pas nécessairement à un signal d'alarme. On peut se demander si les douleurs post-opératoires, les douleurs liées à une fracture, les douleurs causées par le cancer, les douleurs "fantômes" sont vraiment utiles. Dans plusieurs cas, elles le sont car elles nous indiquent clairement les limites de l'organisme pendant le temps où il récupère. Dans d'autres cas, l'élimination rapide de ces douleurs peut favoriser l'accélération de la convalescence et diminuer les complications.

Ce genre de questions peut être préoccupant pour les personnes souffrantes. Cela est difficile, mais elles doivent trouver en elles-mêmes ou à l'extérieur les ressources nécessaires pour remédier à leur problème avant que cela ne devienne une source trop grande d'anxiété. Pour certains, ce sera donc important de se faire expliquer la cause de la douleur pour mieux la contrôler et mieux la supporter.

Quel que soit le type de douleur auquel nous sommes confrontés, nous pouvons en retirer des enseignements précieux pour améliorer notre qualité de vie. En approchant la douleur et nos problèmes de santé avec une attitude ouverte et responsable et peut-être même amicale, nous pouvons en apprendre beaucoup sur notre capacité de guérison et sur la globalité de notre être.

La souffrance peut aussi devenir une belle expérience de croissance. Le corps a la faculté de garder en mémoire non seulement les blessures physiques mais aussi les événements marquants dans notre vie. Certaines situations désagréables se traduisent parfois par des douleurs physiques difficiles à supporter. Ces douleurs peuvent même se loger en des endroits du corps qui ne semblent pas avoir de lien avec la cause de la douleur. En libérant nos douleurs, nous pouvons apprendre à mieux connaître les raisons de nos réactions à ces événements et à nous défaire de plusieurs émotions négatives.

Chapitre II
La neurostimulation

Les origines de la neurostimulation

Lorsque des médecins occidentaux ont assisté pour la première fois, en Chine, à des accouchements ou à des interventions chirurgicales pratiquées sur des personnes anesthésiées à l'aide de simples aiguilles d'acupuncture, ils ont été complètement abasourdis. Et pourtant, ils avaient assisté à une forme très simple d'électrothérapie.

L'observation des réactions des animaux et des humains face à la douleur a fait comprendre aux Chinois, il y a des milliers d'années, des phénomènes très intéressants. En premier lieu, que la pression ou le massage exercé sur un point douloureux soulageait la douleur. Par la suite, ils se sont aperçus que des pressions sur des points spécifiques avaient un effet positif sur les organes et pouvaient même être bénéfiques sur le plan psychique. L'acupression venait de naître. Et plus tard, allait apparaître l'acupuncture.

Pendant longtemps, la médecine occidentale est demeurée sceptique à l'égard de cette thérapeutique. Maintenant, nous savons que les points d'énergie ont une résistance électrique plus basse – mesurable électroniquement – et qu'ils sont beaucoup plus sensibles que d'autres points sur le corps. Ils agissent en quelque sorte comme des relais électriques transmettant le long des méridiens le courant nécessaire au rétablissement de l'équilibre énergétique.

La neurostimulation électrique est l'aboutissement des nombreuses découvertes faites au cours des siècles sur l'électricité et plus récemment sur l'électrophysiologie. Les Chinois ont développé l'acupuncture à la suite de leurs observations; Aristote, pour sa part, au IVème siècle av. J.C. avait observé que certains poissons paralysaient leurs proies en leur envoyant des décharges électriques. Intrigué par le phénomène, il l'étudie et évoque la possibilité de soigner certains maux avec cette énergie. Pendant des siècles, la chaleur et l'électricité ont intéressé les savants. Au cours du 18ème siècle, les premières publications importantes sur l'électricité et ses vertus thérapeutiques apparaissent. Au 19ème siècle, la thérapie à l'aide de l'électricité se répand rapidement. Elle connaît un point culminant en 1891 avec la thèse soutenue par le grand médecin et physicien français, Claude D'Arsonval. On peut dire que ses découvertes marquent le début de l'électrothérapie moderne. En 1922, l'ingénieur Charles Laville crée le premier électropulsateur, un appareil destiné à envoyer des impulsions électriques à faibles doses aux cellules.

L'électrothérapie a connu par la suite des heures de gloire. Puis, avec le développement fulgurant de la pharmacopée chimique, cette thérapie qu'on peut qualifier de vieille comme le monde, a été mise de côté pendant un certain temps au profit des médicaments. Curieusement, c'est grâce aux programmes d'exploration spatiale que la neurostimulation électrique est reparue. Dans un véhicule spatial, les astronautes se retrouvent en état d'apesanteur. Dans cet état, on comprendra qu'il est difficile de faire des exercices pour activer la circulation sanguine ou redonner du tonus aux muscles ankylosés. Pour résoudre ce problème, la N.A.S.A. met au point de petits appareils d'électrostimulation permettant aux voyageurs de l'espace de maintenir une bonne forme physique.

Aujourd'hui, les développements de l'électronique et les merveilles de la miniaturisation nous donnent accès à des appareils très compacts, d'une grande fiabilité, faciles d'emploi et utilisables en tout temps. Ces nouveaux appareils utilisent la technologie appelée TENS, abréviation du terme anglais "Transcutaneous Electronic Nerve Stimulation" qu'on peut traduire littéralement par stimulation électronique des nerfs à travers la peau ou, encore, neurostimulation électronique transcutanée; d'autres parlent d'électrostimulation. Pour faciliter la compréhension de tous, nous utiliserons désormais dans ce livre les termes neurostimulation et appareils TENS.

Une méthode scientifique et naturelle

Depuis une dizaine d'années, des millions de personnes en Orient, en Europe et en Amérique du Nord ont utilisé les appareils TENS pour soulager leurs douleurs et bien d'autres maux, comme nous le verrons plus loin. Les nombreux témoignages recueillis font état de la grande efficacité de cette thérapie mais surtout de son caractère naturel.

La recherche dans le domaine pharmaceutique depuis la Deuxième Guerre mondiale a accéléré considérablement la mise au point de nouveaux médicaments. Souvent utiles dans les cas d'urgence, les médicaments de synthèse sont par contre, à bien des égards, dangereux. S'ils sont efficaces pour enrayer rapidement certains symptômes, ils provoquent souvent des effets secondaires, causes parfois de désordres et de déséquilibres graves pour l'organisme. Prenons le cas de l'aspirine. Voilà un médicament efficace pour soulager un mal de tête. Mais sa consommation régulière et prolongée peut causer une acidification du sang et des ulcères d'estomac. S'il en est ainsi de la simple aspirine, qu'en est-il des analgésiques ou des anti-inflammatoires plus puissants, sans parler des antidépresseurs et des antibiotiques.

Face à cette situation, de plus en plus de gens se posent de sérieuses questions sur les médicaments. Certaines personnes décident d'en limiter leur usage ou de chercher d'autres solutions pour remédier à leurs problèmes de santé. À cet égard, la neurostimulation propose une solution vraiment naturelle et sans effets secondaires.

Deux théories scientifiques expliquent en grande partie le fonctionnement et l'efficacité de la neurostimulation transcutanée.

La première a été élaborée en 1965 par deux Américains, les docteurs Melzack et Wall. Leur théorie, appelée "théorie du portillon", nous enseigne qu'il existe au niveau de la moelle épinière, un système de régulation de la douleur ("gate control") filtrant l'information avant de se rendre dans le thalamus, véritable centre de traitement de données sur la douleur. L'information étant ainsi altérée, la sensation de douleur est amoindrie. Lorsque vous recevez un coup, votre premier réflexe est de frotter la partie endolorie.

Ce frottement agit un peu comme une porte électronique, empêchant les messages de se rendre complètement jusqu'au cerveau. Si vous ne frottez pas, l'information se rend jusqu'au thalamus; celui-ci interprète cette nouvelle donnée et vous renvoie une perception de douleur plus intense que si vous aviez frotté.

La neurostimulation avec un appareil TENS opère une stimulation semblable au frottement mais avec beaucoup plus d'efficacité. En émettant une pulsation électrique de très basse fréquence sur la partie douloureuse, l'appareil stimule les terminaisons nerveuses sur la partie endolorie, altérant ainsi l'information qui doit se rendre au cerveau. Ce faisant, l'excitation douloureuse diminue et la perception de la douleur est améliorée.

La deuxième théorie rejoint certaines explications décrites précédemment. D'après des recherches poussées en neurobiologie, les endorphines, ces substances anti-douleurs naturelles sécrétées par le cerveau, se fixent sur des récepteurs disséminés dans les terminaisons nerveuses réparties un peu partout dans le corps. La neurostimulation stimule la production des endorphines, soulageant de façon significative la douleur.

Les recherches en cours vont sûrement nous apporter encore bien d'autres éclaircissements sur les raisons de l'efficacité de la neurostimulation. Mais pour l'instant, les deux mécanismes décrits plus haut nous procurent une explication très rationnelle sur une thérapeutique capable de soulager la douleur d'une manière convaincante.

À ces explications, on peut en ajouter une qui rejoint les connaissances transmises par les Orientaux. On sait que la pression exercée sur un point déterminé peut apporter un soulagement ou une amélioration de la condition d'une partie du corps située bien loin du point traité. Prenons par exemple un point bien connu situé dans le creux entre le pouce et l'index sur le méridien du gros intestin. Lorsqu'on presse à cet endroit, on peut ressentir une tension parfois même une douleur. La stimulation de ce point avec le pouce ou avec une aiguille d'acupuncture, peut faire relâcher certaines tensions comme un mal de tête et procurer une sensation de bien-être.

Les médecins occidentaux ont observé pour leur part que la stimulation de points "réflexes" pouvait avoir des effets bénéfiques sur la douleur. Ces points se trouvent souvent sur des endroits distants de la zone douloureuse.

La neurostimulation transcutanée agit, elle aussi, à distance. L'expérience nous démontre qu'en stimulant la plante des pieds avec des électrodes, on peut atténuer plusieurs troubles de la circulation et redonner du tonus énergétique à tout l'organisme.

Enfin, rappelons que le corps humain est composé de 40 à 100 milliards de cellules chargées électriquement. Elles constituent autant de petites piles électriques assurant en tout temps la transmission des micro-courants dans notre organisme. Une personne en bonne santé est comme la Terre, chargée négativement. Lorsqu'il y a déséquilibre physique, une personne s'électrise positivement, les charges négatives étant en fuite. Comme on peut le constater, les Orientaux, en parlant depuis des milliers d'années de déséquilibre et de rétablissement énergétique, rejoignent les explications plus rationnelles révélées par l'électro-physiologie moderne. La neurostimulation, par l'impulsion électrique de petits courants de basse fréquence, semblables à ceux de l'influx nerveux, rétablit la polarité des cellules en les rechargeant négativement.

Une solution à de nombreux problèmes de santé

Un scepticisme de plus en plus grand se manifeste à l'égard de certaines méthodes modernes de traitement telles que la chirurgie, la chimiothérapie, la radiothérapie et la médication chimique. Une partie importante de la population se tourne vers les médecines douces ou des thérapies dans lesquelles les médicaments ne sont pas ou peu utilisés. La neurostimulation se présente comme une thérapie très douce, pouvant être utilisée souvent et régulièrement. Elle offre le grand avantage d'être tout à fait naturelle et ne provoquant aucun effet secondaire. Elle bénéficie en outre de bases scientifiques solides démontrant, par des tests répétés et de très nombreuses expérimentations, son efficacité à soulager et même à éliminer un très grand nombre d'affections.

La majorité des expérimentations avec la neurostimulation font état des effets de soulagement. Cependant, la science n'explique pas encore pourquoi, après seulement quelques séances, certaines personnes souffrant de douleurs chroniques depuis plusieurs années obtiennent un soulagement complet de leurs douleurs sans qu'elles ne reviennent par la suite.

Utilisée généralement pour soulager les douleurs, la neurostimulation transcutanée a bien d'autres fonctions bénéfiques tel que démontré à l'occasion de nombreuses expériences cliniques.

Soulage les problèmes
du rhumatisme et de l'arthrite
Dans la plupart des cas, la neurostimulation apporte un soulagement rapide et sans risque aux douleurs rhumatismales et arthritiques.

La douleur occasionne une immobilisation involontaire de l'articulation atteinte, causant une mauvaise circulation sanguine locale. La région autour de l'articulation devient mal oxygénée et mal alimentée, le cartilage articulaire souffre et continue de se détériorer. Par son action anti-douleur et anti-inflammatoire, la neurostimulation favorise le travail musculaire, redonnant ainsi la mobilité aux articulations. Le mouvement des membres favorise une circulation sanguine de qualité dans les tissus des articulations et de leur voisinage. En effet, un spécialiste a démontré cliniquement que cette technique, par son action sur la circulation, peut aider à dissoudre les dépôts de calcium accumulés autour des articulations.

Fortifie la circulation sanguine et le système nerveux
Une circulation sanguine et un système nerveux en bon état sont d'une importance capitale pour une bonne santé. L'intérieur du corps se nourrit et se nettoie par le sang. En effet, la circulation achemine les nutriments aux cellules et transporte vers les voies de l'élimination les déchets fabriqués par l'activité des cellules et des tissus. Sans une bonne circulation, les cellules et les tissus souffrent et ont de la

difficulté à se réparer et à se maintenir en santé. Le système nerveux assure le contrôle des muscles, des fonctions des organes internes et permet de percevoir les différentes sensations. La neurostimulation produit une vasodilatation (augmente l'ouverture des vaisseaux sanguins) qui rétablit l'irrigation normale. Cela a un effet bénéfique non seulement sur plusieurs troubles de la circulation comme les migraines, les engourdissements, les varices, les symptômes de la sclérose en plaque, la paralysie, mais aussi dans les cas d'affections osseuses, articulaires, musculaires, tendineuses et du système nerveux.

Aide les sportifs

Nul besoin d'être un athlète de haut calibre pour avoir déjà enduré la douleur occasionnée par une entorse. D'une manière générale, la majorité des traumatismes associés à une activité sportive ou physique comme les contractions musculaires, les foulures, les claquages, les déchirures et les courbatures peut être traitée efficacement par la neurostimulation.

La neurostimulation peut aussi être utilisée à titre préventif. Les grands athlètes l'utilisent pour fortifier certains groupes musculaires. Les sportifs du dimanche auraient intérêt à s'en servir pendant quelques minutes avant une activité sportive pour préparer leur condition et réchauffer les muscles mis à contribution. Cependant on ne doit jamais stimuler une partie endolorie avant de pratiquer un sport. Cela aurait pour effet "d'endormir" la douleur et possiblement d'aggraver le mal.

Combattre le vieillissement et demeurer svelte

Tout le monde se soucie de son apparence physique. Avec l'âge, plusieurs des fonctions vitales de l'organisme ralentissent et perdent de leur efficacité, ce qui modifie l'apparence physique. La peau devient ridée à cause du relâchement des fibres de collagène lui servant de support. Les muscles s'affaiblissent et se relâchent, d'où l'apparition du ventre et des bajoues, de même que l'affaissement des seins et des fesses. Les vaisseaux sanguins vieillissent aussi. Ils deviennent moins souples, moins mobiles et leurs parois s'épaississent, entraînant une diminution de la vascularisation en général.

L'utilisation régulière d'un appareil TENS permet de resserrer, de modeler et d'affermir les tissus musculaires et de favoriser une meilleure vascularisation générale. Par une circulation sanguine de qualité, le tissu conjonctif gagne une tonicité améliorée et une meilleure oxygénation, ce qui contribue au ralentissement des processus de vieillissement.

Pour le visage, il est possible d'atténuer la formation des poches sous les yeux, d'affiner la ligne du menton, de favoriser un meilleur teint et de redonner l'élasticité à la peau pour retarder l'apparition des rides ou réduire celles qui existent déjà. Quant au corps, la neurostimulation sera utile pour aplanir le ventre, redonner du tonus aux muscles pectoraux qui soutiennent les seins, remodeler les fesses et les hanches et combattre la cellulite.

Vivre pleinement

Beaucoup de gens souffrent de différents malaises qui compliquent leur existence. Ils aimeraient s'en débarrasser mais ils ne savent pas comment. La neurostimulation leur en offre le moyen.

– Le stress :

La neurostimulation possède un pouvoir relaxant tout à fait étonnant. Quelques minutes de stimulation à la base de la nuque suffisent à procurer une agréable sensation de détente.

– Le bourdonnement d'oreilles :

Entendre un bruit continuellement suffit à faire perdre la raison à n'importe qui. Pour dormir, certaines personnes atteintes doivent garder la radio en marche afin d'étouffer le bruit du bourdonnement. Une utilisation régulière d'un appareil TENS pendant quelques semaines permet d'atténuer ou de faire disparaître ce problème gênant.

– La constipation :

Les selles sont des substances sans valeur pour l'organisme. Lorsqu'elles demeurent trop longtemps dans l'intestin, elles peuvent générer plusieurs malaises sinon des maladies. Et que dire de la gêne causée par la constipation. La neurostimulation agit en régularisant les contractions musculaires des fibres lisses intestinales, ce qui apporte un soulagement à la constipation et aux douleurs colitiques.

– La digestion lente :

Après un copieux repas on se sent souvent gonflé et ballonné. La neurostimulation agit encore en régularisant les contractions musculaires des fibres lisses, mais cette fois sur celles de l'estomac. Elle agit aussi sur la sécrétion biliaire, favorisant ainsi le dégonflement.

– L'eczéma et la démangeaison :

Même si nous n'en connaissons pas précisément la raison, la neurostimulation agit favorablement sur l'eczéma et la démangeaison. Une stimulation de la zone de démangeaison apporte dans la plupart des cas un soulagement immédiat.

– L'incontinence urinaire :

La neurostimulation donne de bons résultats dans les cas d'incontinence urinaire parce qu'elle redonne du tonus aux muscles de la vessie.

Chapitre III
L'appareil TENS

Les appareils TENS ont longtemps été réservés à un usage strictement professionnel: médecins spécialistes, physiothérapeutes, chiropraticiens, acupuncteurs en étaient les principaux utilisateurs. Lorsque le TENS est utilisé en clinique, le nombre de traitements se limite souvent à un par jour. Cependant, plusieurs séances par jour sont souvent indispensables pour obtenir l'amélioration souhaitée. L'électronique moderne et la miniaturisation offre à tout le monde des appareils portatifs très faciles à utiliser.

L'appareil se compose de quatre éléments: un module de contrôle, des électrodes, des fils reliant le module aux électrodes, une pile de 9V. Le module de contrôle d'un très bon appareil permet d'ajuster quatre fonctions : l'intensité du débit électrique, le mode de pulsation : normal, modulation et train d'onde ("Burst"), la fréquence à laquelle les pulsations électriques sont émises et la longueur d'onde.

L'utilisation d'un appareil TENS est d'une simplicité enfantine. La première chose à faire, après avoir fait l'acquisition d'un TENS, c'est de lire le mode d'emploi. L'illustration de la page 46 vous montre les composants d'un appareil TENS bien connu. La deuxième est de s'assurer que la pile fonctionne bien. Une pile trop faible ne fournira pas l'énergie nécessaire à une stimulation adéquate.

La plupart des appareils fonctionnent à l'aide d'une pile de 9 volts. Si vous devez utiliser votre appareil régulièrement et pendant de longues périodes, il peut être plus avantageux d'utiliser des piles rechargeables ou un dispositif permettant de relier l'appareil à une prise de courant.

Après avoir vérifié la pile, vous branchez les fils dans les sorties appropriées et dans les électrodes-tampons. Puis, vous placez les électrodes à l'endroit que vous avez choisi de stimuler. Il ne vous reste plus qu'à déterminer l'intensité, le mode de pulsation, la fréquence et la longueur d'onde. À noter qu'en mode "Burst", la fréquence n'entre pas en ligne de compte.

Réactions à l'utilisation

Les premières semaines d'utilisation doivent être considérées comme une période d'expérimentation. Chaque personne réagit différemment aux impulsions neurostimulatrices. Vous devez donc déterminer la durée de traitement, la fréquence et l'emplacement des tampons qui vous donneront les meilleurs résultats. Parfois, un simple petit changement d'emplacement des électrodes peut améliorer la qualité du traitement.

Plusieurs réactions peuvent se produire en utilisant le TENS. Il se peut que dès la première utilisation, vous constatiez un soulagement immédiat à une douleur. Vous pouvez expérimenter un soulagement graduel sur une période de quelques jours ou de quelques semaines. Il se peut aussi que vous connaissiez un inconfort et même une accentuation de la douleur traitée après une séance. Ce genre de réaction indique généralement que vous vous êtes trop traité. Diminuez l'intensité, réduisez la durée du traitement et tout devrait rentrer dans l'ordre.

Une réaction cutanée peut se produire à l'endroit où les électrodes sont appliqués. Ce type de réaction est plutôt rare. Il suffit parfois de déplacer légèrement les électrodes sur la peau pour éliminer ce problème. Une bonne crème émolliente vous aidera à éliminer l'affection.

De nombreuses personnes constatent une grande amélioration de leur état de santé en faisant simplement et régulièrement les deux applications de base préconisées dans ce livre (voir page 51). En agissant directement sur l'ensemble du système nerveux et sur la circulation sanguine, la neurostimulation élimine une grande partie du stress, améliore la qualité du sommeil et régénère l'ensemble de l'organisme. Ce faisant, plusieurs malaises et douleurs localisés sont éliminés sans qu'ils aient été traités spécifiquement.

Quel appareil choisir?

Plusieurs modèles d'appareils sont offerts sur le marché et leur prix peut varier considérablement. L'important, c'est d'en avoir pour son argent. Un bon appareil doit être de construction solide et d'une grande fiabilité, offert par un manufacturier réputé en mesure de donner une garantie de deux ans sur le produit de même qu'un très bon service après vente et être approuvé au Canada selon les normes de l'ACNOR.

L'appareil doit comporter deux canaux permettant l'utilisation de quatre électrodes à la fois, un contrôle de l'intensité pour chaque canal, un contrôle de fréquence, trois modes de pulsation: normal, modulation et train d'onde ("Burst") et un contrôle de longueur d'onde.

Conseils d'utilisation

Contact

Toujours assurer un contact de bonne qualité entre les électrodes et la peau. Le gel de conduction qu'on applique sur les coussinets de caoutchouc des électrodes garantit une excellente conductivité. S'il n'y a pas suffisamment de gel, une sensation désagréable peut être ressentie sur la peau. Outre le gel, on peut utiliser des coussinets gélatineux déjà imprégnés de gel ou, encore, des électrodes auto-adhésives.

Bandelettes de fixation

L'utilisation des bandelettes de fixation avec attache de velcro, habituellement fournies avec les bons appareils, facilitent l'adhérence et le maintien des électrodes sur la peau.

Applications

Lorsqu'il y a douleur, la façon la plus habituelle de la traiter est d'apposer l'électrode négative directement sur la partie douloureuse et l'électrode positive sur une partie du corps située plus haut que la zone douloureuse. Une autre utilisation efficace consiste à apposer l'électrode négative sur une partie plus basse que la zone douloureuse et l'électrode positive au-dessus de cette zone. Dans tous les autres cas, on doit se référer à la partie pratique de ce livre. Vous y trouverez les emplacements précis où appliquer les électrodes.

Intensité

L'interrupteur de mise en marche détermine aussi l'intensité des pulsations. On la choisit en augmentant graduellement le volume jusqu'à ce qu'on sente un picotement sur la peau. L'intensité choisie doit toujours être au niveau d'un certain agrément et du seuil de tolérance. Une intensité forte n'est pas garante d'un traitement supérieur. Une intensité trop grande peut même causer un inconfort à la suite du traitement. C'est un peu comme si vous décidiez d'exercer vos muscles avec des haltères. Si vous commencez, du jour au lendemain, avec des haltères lourds, vous risquez de ressentir des courbatures à la suite de vos exercices, vos muscles n'ayant pas été amenés progressivement à un tel effort. Il vaut mieux habituer l'organisme à une intensité plus faible et augmenter le nombre de séances que de tenter de tout régler en une seule fois.

Durée

La durée de traitement varie pour chaque application et aussi pour chaque utilisateur. Les durées d'application mentionnées dans ce livre sont des durées moyennes et peuvent être dépassées sans risque. On recommande cependant de ne pas dépasser 40 minutes de traitement à un endroit donné.

Temps approprié

Chacun choisit le moment le plus propice de la journée pour sa séance de traitement. L'appareil TENS fonctionnant sur pile permet une autre activité pendant le traitement. Lire un livre, regarder la télévision, travailler à un bureau, sont autant d'activités compatibles avec une séance de traitement. Le soir sera très approprié pour une séance de relaxation utilisant les fréquences rapides. Par exemple, l'application des électrodes à la base du cou ou en haut et en bas de la colonne vertébrale apportera une grande détente, libérant les tensions de la journée. Pendant le sommeil, l'organisme se régénère; il peut donc profiter pleinement d'une telle séance faite en soirée.

Les séances avec fréquences lentes ou train d'onde ("Burst") ont pour but de tonifier l'organisme et de stimuler la musculature. Elles sont, de façon générale, plus appropriées le matin ou pendant la journée. Mais, tout compte fait, vous demeurez le meilleur juge de vos réactions; c'est donc à vous de décider, après expérimentation, quand et comment utiliser le TENS.

Nombre de traitements

L'appareil TENS agit localement; on peut donc faire plus d'un traitement à la fois sur des endroits différents, sans danger. Un autre avantage du TENS est de pouvoir l'utiliser à plusieurs reprises dans la journée pour une même affection. Prenons le cas d'un tour de reins. Dès l'apparition de la douleur, on applique les électrodes à l'endroit approprié pour une première séance. Par la suite, à tout moment dans la journée, on peut refaire un traitement. Petit à petit, les douleurs vont diminuer et les séances de traitement vont s'espacer.

Régularité de l'utilisation

Dans le traitement des douleurs chroniques, la régularité de l'utilisation est une condition essentielle au soulagement et au rétablissement. On ne peut pas espérer remédier à un problème installé depuis longtemps en "criant lapin". On vit sans doute à l'ère du "fast food" mais toute thérapie sérieuse ne peut être du "fast médecine". Pour pouvoir juger de l'efficacité de la neurostimulation, ont doit s'auto-discipliner et effectuer ses séances de traitement quotidiennement avec persévérance.

Existe-t-il des contre-indications à l'utilisation d'un appareil TENS?

Oui, dans trois cas seulement :

– Les porteurs de stimulateurs cardiaques (pacemaker);

– Les femmes enceintes;

– Les personnes souffrant d'arythmie (irrégularités cardiaques) doivent consulter leur médecin.

Avertissement

Avant d'utiliser un appareil TENS, si vous avez quelque doute que ce soit sur la nature de votre mal, il est important de consulter un professionnel de la santé reconnu pour sa compétence. Il saura diagnostiquer la cause de votre douleur ou de votre mal et vous pourrez alors prendre une décision plus éclairée quant aux traitements à entreprendre.

Adieu douleurs !

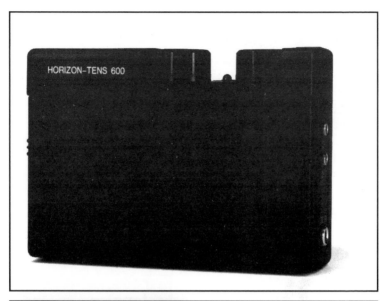

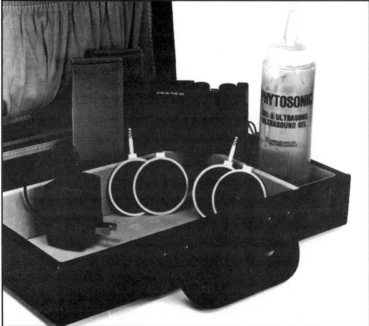

Appareil **HORIZON-TENS 600** avec ses accessoires

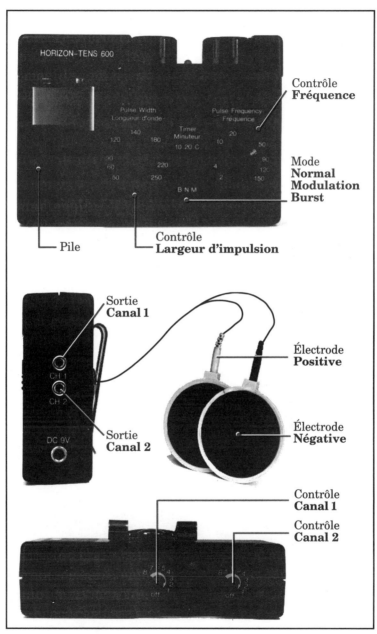

Appareil **HORIZON-TENS 600** et ses fonctions

Deuxième partie
La neurostimulation
en pratique

Chapitre IV
Les applications de base

L'utilisation d'un appareil TENS sur la colonne vertébrale et sur la plante des pieds constitue le fondement de la théorie des basses fréquences. C'est le pré-requis fondamental à toute utilisation spécifique sur d'autres régions du corps. Ces deux applications faites régulièrement rétablissent l'harmonie du système nerveux et améliorent la circulation sanguine.

Il s'ensuit une meilleure qualité de sommeil, une énergie renouvelée et le soulagement, voire une diminution importante de bien des malaises. Il a été observé chez un grand nombre de personnes ayant fait quotidiennement, pendant quelques semaines, ces deux applications de base, une amélioration très sensible de leur état de santé et la disparition de douleurs sans que celles-ci aient été traitées localement.

La colonne vertébrale

En appliquant les électrodes sur la colonne, le positif juste au-dessus de "la bosse de bison", le négatif tout en bas près du coccyx, l'ensemble du système nerveux se trouve stimulé. Résultat: une relaxation bienfaisante et un relâchement des tensions pouvant normaliser l'activité des nerfs autonomes et des fibres nerveuses.

La plante des pieds

Si vous avez déjà reçu un massage des pieds, vous savez tout le bien-être qui peut être ressenti. La plante des pieds, comme l'intérieur des mains d'ailleurs, regroupe un très grand nombre de terminaisons nerveuses de même que des points réflexes correspondant à toutes les parties du corps. La stimulation de la plante des pieds aux endroits indiqués sur l'illustration, avec un appareil TENS, a plusieurs effets bénéfiques: un meilleur fonctionnement des organes et des glandes, une amélioration de l'influx nerveux dans tout le système, une circulation sanguine et lymphatique améliorée et, enfin, un rééquilibre de toutes nos énergies.

Applications de base

1- Pieds

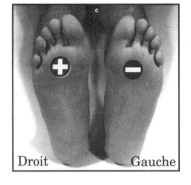

Droit   Gauche

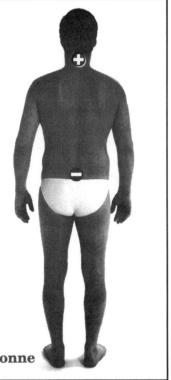

2- Colonne

	Pieds	Colonne
Durée en minutes	5 à 10	10
Fréquence	2 à 4	50 à 150
Largeur d'impulsion	180 à 250	90 à 120
Mode	N	N

Commentaires: Commencer d'abord par le dessous des pieds et finir par la colonne. On peut aussi faire l'application aux pieds le matin et la colonne, le soir.

Chapitre V
Les applications particulières

Dans ce chapitre, vous trouverez de nombreuses applications particulières pour une foule de douleurs et de malaises courants. Chaque application est illustrée par une photographie très explicite montrant l'endroit où les électrodes doivent être placées sur le corps. Sous la photo, se trouvent les variables dont on doit tenir compte pour chaque application dans l'utilisation d'un TENS.

Douleur: indique le type de douleur, aiguë ou chronique, s'il y a lieu;

Durée: indique le temps suggéré en minutes pour chaque application;

Fréquence: elle est mesurée en hertz, une unité de fréquence égale à un cycle par seconde.

2 à 20 Hz indique une fréquence lente
20 à 50 Hz indique une fréquence moyenne
50 à 150 Hz indique une fréquence rapide.

Largeur d'impulsion: elle est mesurée en microsecondes; elle permet des ajustements pour un meilleur confort personnel;

Mode: il existe trois modes d'impulsion; **N** pour Normal, **M** pour Modulation et **B** pour Burst ou Train d'impulsion.

Les commentaires apportent des données spécifiques à chaque soin.

Il est important de se rappeler que les résultats obtenus avec chaque application sont nettement supérieurs lorsqu'on fait régulièrement les applications de base à la colonne vertébrale et aux pieds.

1 Accouchement

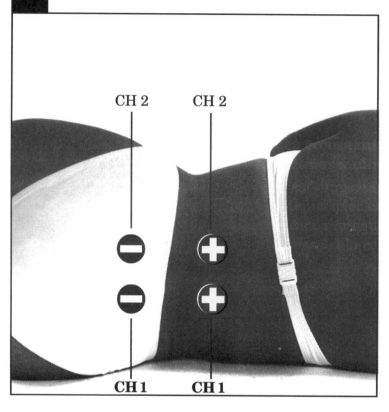

Durée en minutes	**Selon le besoin**
Fréquence	**120 à 150**
Largeur d'impulsion	**220 à 250**
Mode	**N** ou **M**

Commentaires: Intensité au seuil de la tolérance

2 Acouphène Bourdonnement d'oreilles

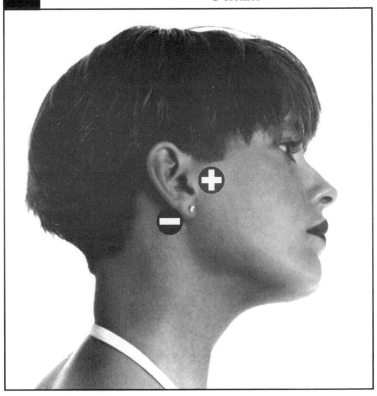

Durée en minutes	10 à 15 • 1 à 2 fois par jour
Fréquence	50 à 120
Largeur d'impulsion	50 à 90
Mode	N

Commentaires: Des traitements quotidiens pendant quelques semaines peuvent permettre d'atténuer ou d'éliminer ce problème. Faire les applications de base (voir p. 53)

3 Arthrite ou Rhumatismes

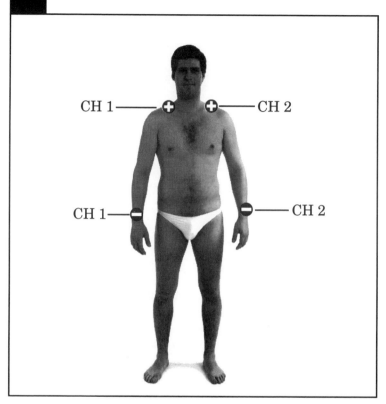

Douleur	Chronique	
Durée en minutes	**10** premières minutes	**20** dernières minutes
Fréquence	**50**	**150**
Largeur d'impulsion	**120 à 140**	**220 à 250**
Mode	**N**	**M**

Commentaires: Douleur au niveau des épaules et des bras.Les électrodes ⊕ sur les trapèzes et les électrodes ⊖ sur les avant-bras en haut des poignets. Faire les applications de base régulièrement (voir p. 53)

4 Avant-Bras Externe

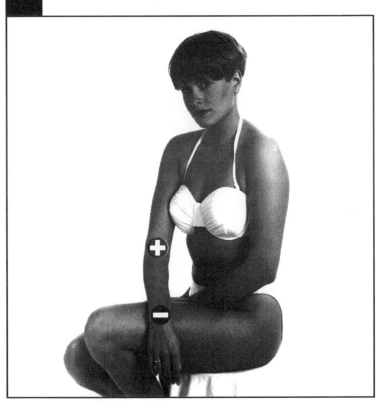

Durée en minutes	**20 à 30**
Fréquence	**50 à 120**
Largeur d'impulsion	**50 à 120**
Mode	**N** ou **M**

Commentaires: Placer les électrodes à chaque extrémité de la zone douloureuse. Faire les applications de base (voir p. 53)

5 Avant-Bras Interne

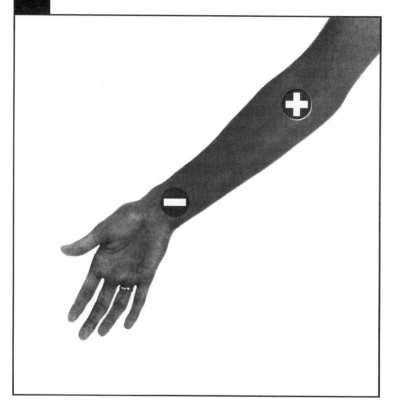

Durée en minutes	20 à 30
Fréquence	90 à 120
Largeur d'impulsion	50 à 90
Mode	N ou M

Commentaires: Placer les électrodes à chaque extrémité de la zone douloureuse ou le négatif sur la partie endolorie et le positif plus haut. Faire les applications de base (voir p. 53)

61

6 Brûlure

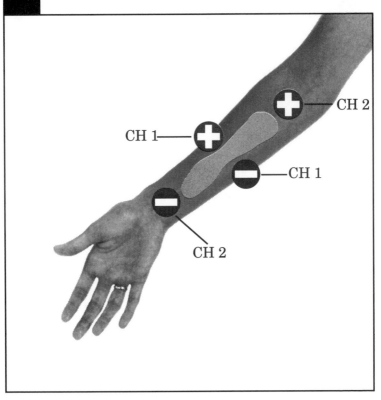

Durée en minutes	**20 à 30**
Fréquence	**50 à 150**
Largeur d'impulsion	**50 à 90**
Mode	**N** ou **M**

Commentaires: Répéter aussi souvent que nécessaire. Quelle que soit la zone brûlée, l'entourer avec les électrodes sans toucher la lésion. Faire les applications de base (voir p. 53)

7 Cellulite

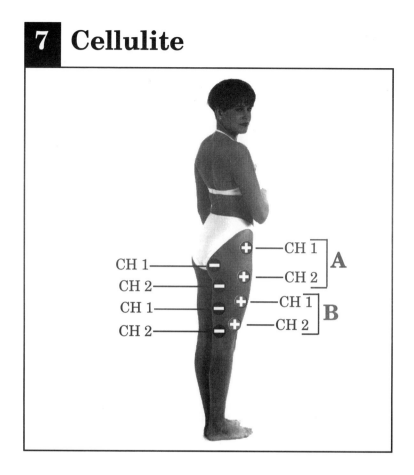

Durée en minutes	**A: 20** **B: 20**
Fréquence	—
Largeur d'impulsion	**220 à 250**
Mode	**B**

Commentaires: Placer les électrodes de part et d'autre de la zone affectée (Fig.A) Faire la même application pour la zone B. Après avoir fait la zone A et B faire les applications de la page suivante (Fig. C).

8 Cellulite

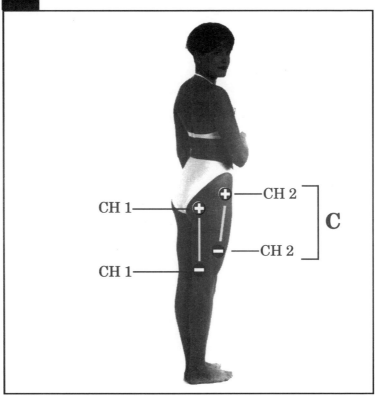

Durée en minutes	**20**
Fréquence	—
Largeur d'impulsion	**220 à 250**
Mode	**B**

Commentaires: Placer les électrodes du haut en bas.
Faire les applications de base
(voir p. 53)

9 Cheville Douleur générale

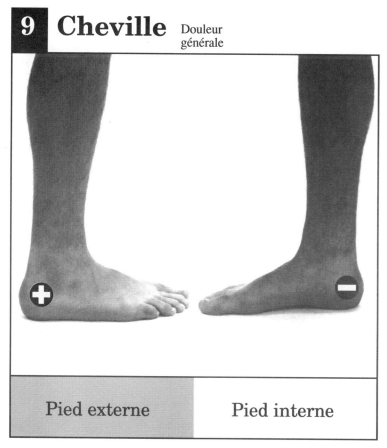

| Pied externe | Pied interne |

Douleur	Aiguë	Chronique	
Durée en minutes	10 à 20	10 premières minutes	20 dernières minutes
Fréquence	50 à 150	2 à 20	—
Largeur d'impulsion	50 à 120	140 à 250	140 à 250
Mode	N ou M	N	B

Commentaires: 1 à 2 fois par jour ou dès que la douleur revient. Faire les applications de base (voir p. 53)

10 Cheville Douleur particulière

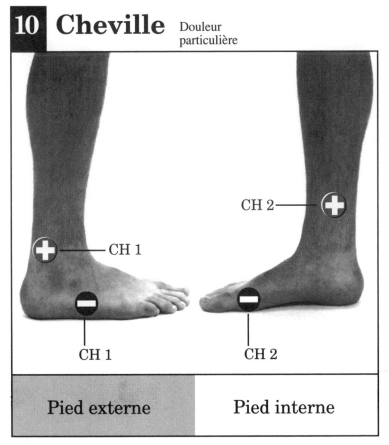

CH 2

CH 1

CH 1

CH 2

Pied externe   **Pied interne**

Douleur	Aiguë	Chronique	
Durée en minutes	10 à 20	**10** premières minutes	**20** dernières minutes
Fréquence	50 à 150	2 à 20	—
Largeur d'impulsion	50 à 120	140 à 250	140 à 250
Mode	N ou M	N	B

Commentaires: 1 à 2 fois par jour ou dès que la douleur revient. Faire les applications de base (voir p. 53)

11 Constipation

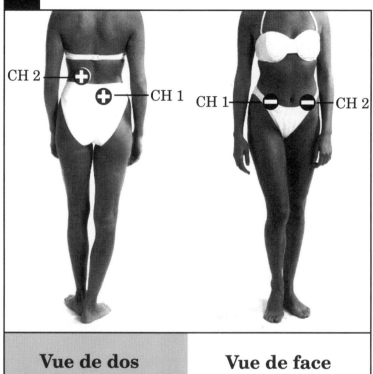

| Vue de dos | Vue de face |

Durée en minutes	**10 à 20**
Fréquence	**50 à 90**
Largeur d'impulsion	**120 à 250**
Mode	**N** ou **M**
Commentaires:	Les électrodes doivent être placées directement sur la peau. Faire les applications de base (voir p. 53)

12 Cou Douleur cervicale

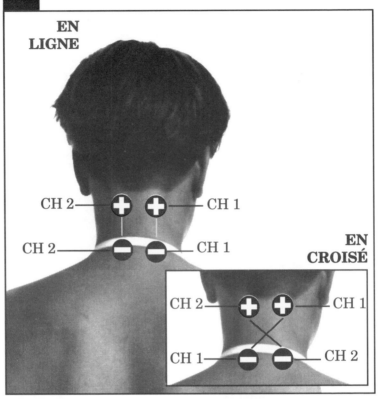

EN LIGNE

CH 2 — CH 1
CH 2 — CH 1

EN CROISÉ

CH 2 — CH 1
CH 1 — CH 2

Douleur	Aiguë	Chronique	
Durée en minutes	20 à 30	10 premières minutes	20 dernières minutes
Fréquence	90 à 150	2 à 20	50 à 120
Largeur d'impulsion	50 à 120	180 à 220	120 à 140
Mode	N ou M	N	M

Commentaires: Toujours ajuster l'intensité du courant pour être confortable. Une intensité forte ne donnera pas de meilleurs résultats. En alternant la position des électrodes (position croisée ou habituelle), vous découvrirez la méthode qui vous fait le plus de bien. Faire les applications de base (voir p. 53)

13 Cou et **Trapèzes**

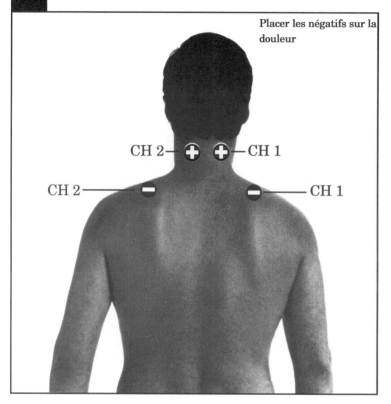

Placer les négatifs sur la douleur

Durée en minutes	**10** premières minutes	**20** dernières minutes
Fréquence	**50 à 150**	—
Largeur d'impulsion	**120 à 180**	**120**
Mode	**M**	**B**

Commentaires: Toujours ajuster l'intensité du courant pour être confortable. Une intensité trop forte ne donnera pas de meilleurs résultats. Faire les applications de base (voir p. 53)

14 Coude

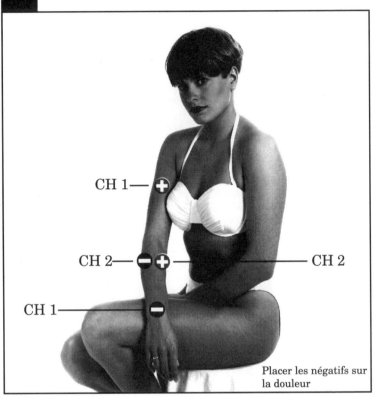

CH 1 — ⊕

CH 2 — ⊖⊕ — CH 2

CH 1 — ⊖

Placer les négatifs sur
la douleur

Douleur	Aiguë	Chronique	
Durée en minutes	20 à 30	10 premières minutes	10 à 20 dernières
Fréquence	90 à 150	2 à 20	50 à 120
Largeur d'impulsion	50 à 120	180 à 250	120 à 140
Mode	M	N	M ou B

Commentaires: Le négatif du canal 2 sur la zone la plus douloureuse. Toujours espacer les électrodes d'au moins 2 cm. Faire les applications de base (voir p. 53)

15 Dents ou Visage

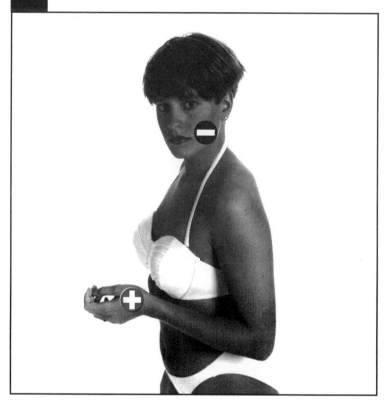

Durée en minutes	20 à 30
Fréquence	150
Largeur d'impulsion	90 à 150
Mode	N ou M

Commentaires: Placer le négatif sur la zone douloureuse. Déplacer le négatif de haut en bas ou de droite à gauche afin de ressentir l'impulsion sur la dent douloureuse, intensité confortable. Faire les applications de base (voir p. 53)

71

16 Dos Omoplates

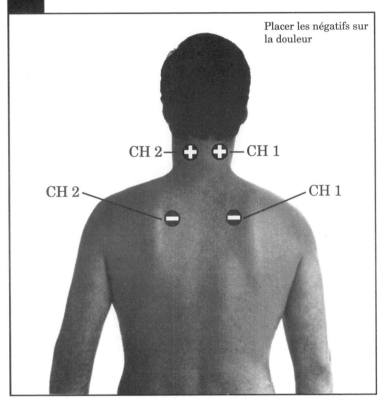

Placer les négatifs sur la douleur

CH 2 ⊕ ⊕ CH 1

CH 2 ⊖ ⊖ CH 1

Durée en minutes	10 premières minutes	20 dernières minutes
Fréquence	50 à 150	—
Largeur d'impulsion	120 à 180	120
Mode	M	B

Commentaires: Toujours ajuster l'intensité du courant pour être confortable. Une intensité trop forte ne donnera pas de meilleurs résultats. Utiliser seulement un canal en appliquant le négatif sur la douleur. Faire les applications de base (voir p. 53)

17 Dos Dorsales

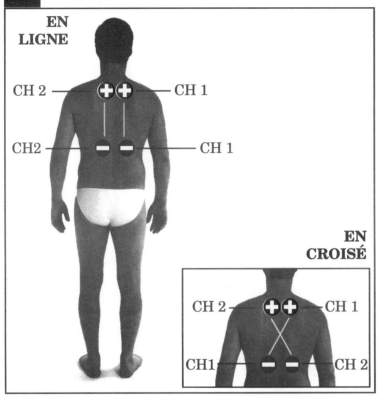

EN LIGNE

CH 2 —— CH 1

CH2 —— CH 1

EN CROISÉ

CH 2 — CH 1

CH1 — CH 2

Douleur	Aiguë	Chronique	
Durée en minutes	10 à 30	10 premières minutes	20 dernières minutes
Fréquence	50 à 150	2 à 20	—
Largeur d'impulsion	50 à 120	180 à 250	90 à 120
Mode	N ou M	N	B

Commentaires: Les électrodes peuvent être placées en ligne ou en croisé. Faire les applications de base (voir p. 53)

18 Dos Lombaires
Tour de rein

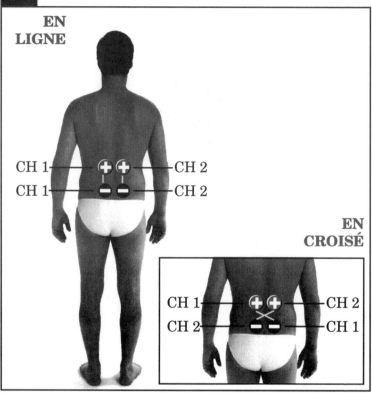

EN LIGNE

CH 1 — CH 2
CH 1 — CH 2

EN CROISÉ

CH 1 — CH 2
CH 2 — CH 1

Douleur	Aiguë	Chronique	
Durée en minutes	10 à 30	**10 premières** minutes	**20 dernières** minutes
Fréquence	50 à 150	2 à 20	—
Largeur d'impulsion	50 à 120	180 à 250	90 à 120
Mode	N ou M	N	B

Commentaires: Appliquer au besoin. Les électrodes peuvent être placées en ligne ou en croisé. Faire les applications de base (voir p. 53)

19 Dos Sacrum - Coccyx

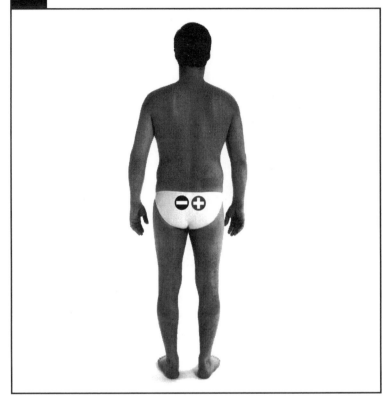

Douleur	Aiguë	Chronique	
Durée en minutes	10 à 30	10 premières minutes	20 dernières minutes
Fréquence	50 à 150	2 à 20	—
Largeur d'impulsion	50 à 120	180 à 250	90 à 120
Mode	N ou M	N	B

Commentaires: Les électrodes doivent être appliquées directement sur la peau. Faire les applications de base (voir p. 53)

20 Dos Pour renforcer le dos

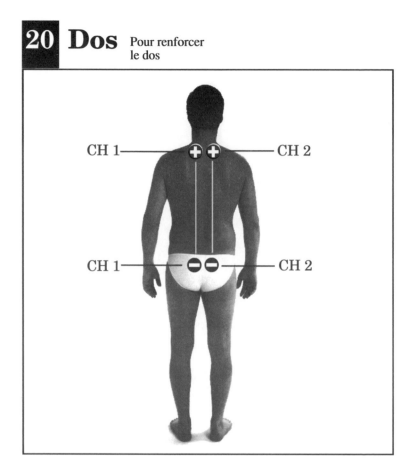

CH 1 —————⊕⊕————— CH 2

CH 1 —————⊖⊖————— CH 2

Durée en minutes	**20 à 30**
Fréquence	—
Largeur d'impulsion	**180 à 250**
Mode	**B**

Commentaires: Les électrodes doivent être appliquées directement sur la peau. Faire les applications de base (voir p. 53)

21 Épaule

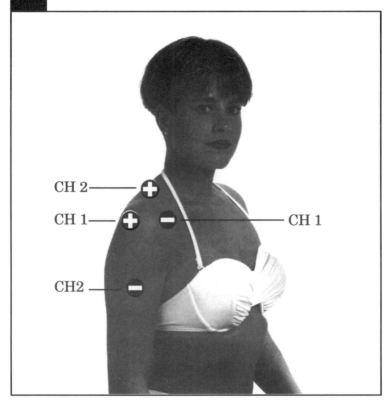

Douleur	**Aiguë**	**Chronique**	
Durée en minutes	20	**10** premières minutes	**20** dernières minutes
Fréquence	**50 à 150**	2 à 20	90 à 120
Largeur d'impulsion	**120 à 180**	180 à 220	50 à 120
Mode	**N** ou **M**	N	M ou B

Commentaires: 3 à 4 traitements par jour. Pendant les 10 premières minutes l'intensité du courant doit être ajustée pour ressentir de très légères impulsions. Pendant les 20 dernières minutes l'intensité doit être confortable. Faire les applications de base (voir p. 53)

22 Estomac   Brûlements

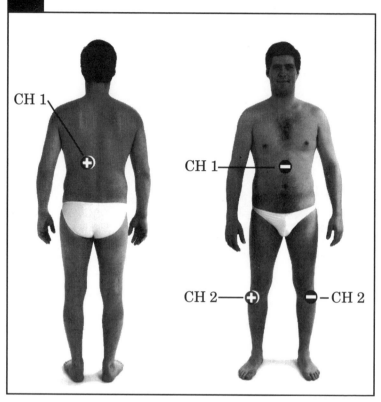

Durée en minutes	**10 à 20**
Fréquence	**50 à 90**
Largeur d'impulsion	**120 à 220**
Mode	**N** ou **M**

Commentaires: Traiter au besoin. Si vos selles sont noires, voir immédiatement votre médecin. Faire les applications de base (voir p. 53)

23 Estomac   Digestion lente

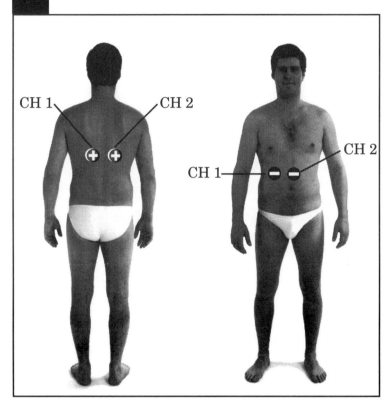

Durée en minutes	**10 à 20**
Fréquence	**50 à 90**
Largeur d'impulsion	**120 à 180**
Mode	**N** ou **M**

Commentaires: Toujours espacer les électrodes de 2 cm. Faire les applications de base (voir p. 53)

79

24 Foie

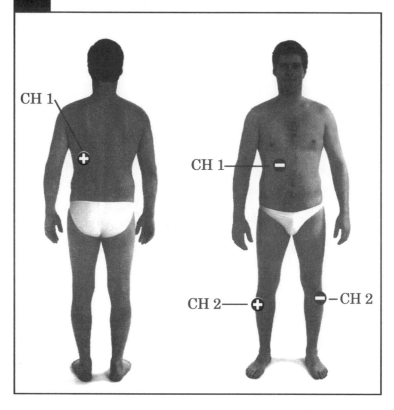

CH 1

CH 1

CH 2

CH 2

Durée en minutes	10 à 20
Fréquence	50 à 150
Largeur d'impulsion	120 à 250
Mode	N ou M

Commentaires: Placer les électrodes du canal 2 un peu en bas du genou et sur la partie extérieure de la jambe. Faire les applications de base (voir p. 53)

25 Genoux

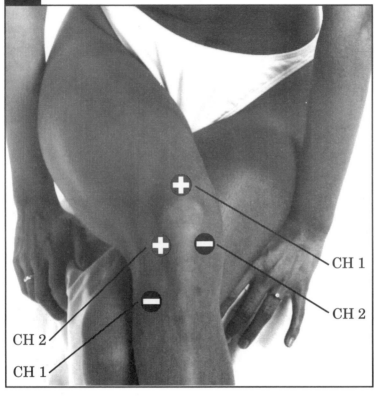

Douleur	**Aiguë**	**Chronique**	
Durée en minutes	**10 à 30**	**10** premières minutes	**20** dernières minutes
Fréquence	**50 à 150**	**2 à 20**	**50 à 150**
Largeur d'impulsion	**50 à 120**	**180 à 250**	**90 à 120**
Mode	**N** ou **M**	**N**	**M**

Commentaires: Faire les applications de base
(voir p. 53)

26 Genoux Pour renforcer

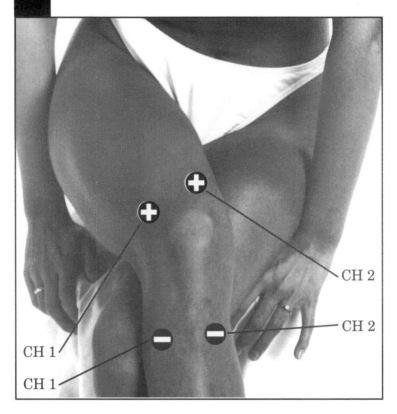

Durée en minutes	10 à 30
Fréquence	—
Largeur d'impulsion	220 à 250
Mode	B

Commentaires: Une fois la douleur disparue, faire l'application 1 ou 2 fois par jour jusqu'à satisfaction. Faire les applications de base (voir p. 53)

27 Hanche

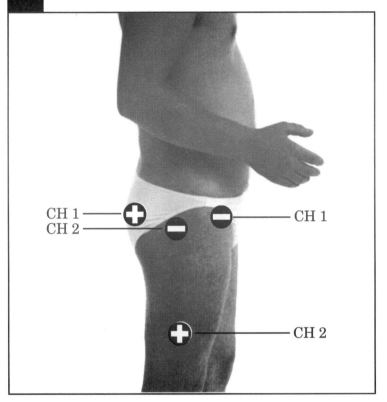

Durée en minutes	**10** premières minutes	**20** dernières minutes
Fréquence	**50 à 150**	—
Largeur d'impulsion	**120 à 250**	**120 à 250**
Mode	**N**	**B**

Commentaires: Continuer en mode Burst pendant plusieurs jours une fois que la douleur est partie.
Les électrodes doivent être placées directement sur la peau.
Faire les applications de base (voir p. 53)

28 Incontinence urinaire

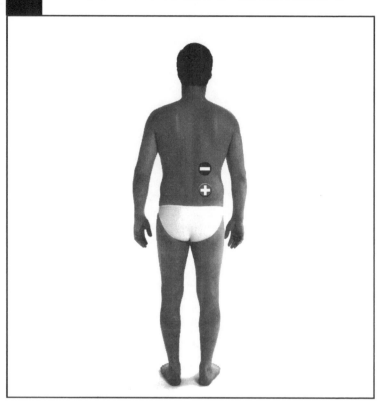

Durée en minutes	10 à 20
Fréquence	90 à 150
Largeur d'impulsion	—
Mode	**N** ou **M**

Commentaires: Traiter au besoin. Ne pas utiliser sur les enfants de moins de 5 ans. Faire les applications de base (voir p. 53)

29 Mollets

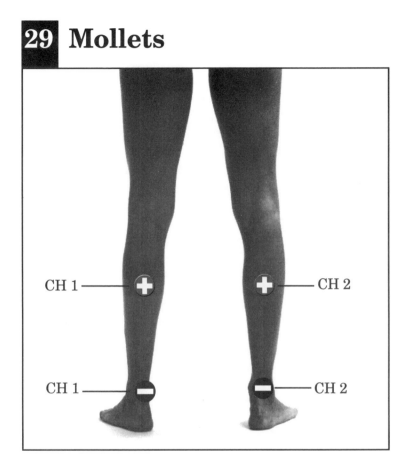

CH 1 ── ⊕   ⊕ ── CH 2

CH 1 ── ⊖   ⊖ ── CH 2

Durée en minutes	**10 à 20**
Fréquence	**50 à 120**
Largeur d'impulsion	**90 à 120**
Mode	**N** ou **M**

Commentaires: Faire les applications de base
(voir p. 53)

30 Pied Arche

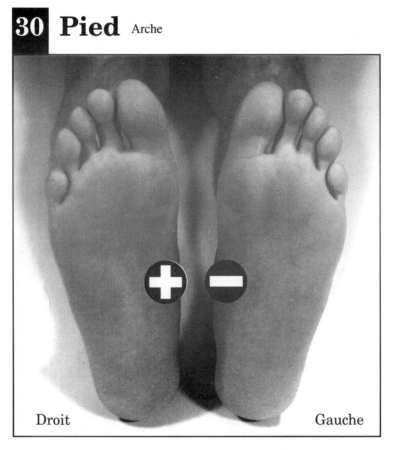

Droit   Gauche

		Renforcer
Durée en minutes	10 à 20	10 à 20
Fréquence	50 à 120	—
Largeur d'impulsion	120 à 250	120 à 250
Mode	N ou M	B

Commentaires: Nombre d'applications selon le besoin.

31 Pouce

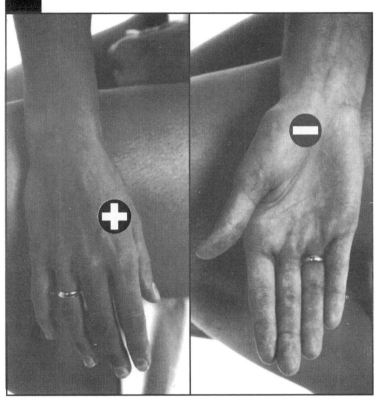

Douleur	**Aiguë**	**Chronique**	
Durée en minutes	**10 à 20**	**10** premières minutes	**20** dernières minutes
Fréquence	**50 à 150**	**2 à 20**	——
Largeur d'impulsion	**50 à 150**	**140 à 250**	**90 à 120**
Mode	**N** ou **M**	**N**	**B**

Commentaires: Faire les applications de base (voir p. 53)

32 Poumons Bronchite Asthme

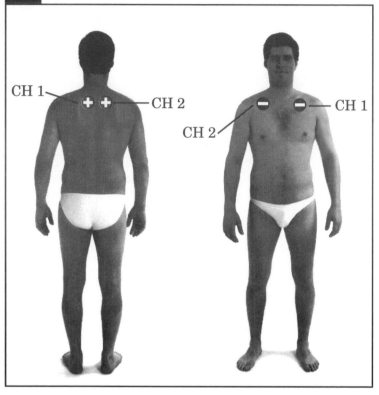

Douleur	**Aiguë**	**Chronique**
Durée en minutes	**10 à 30**	**20 à 30**
Fréquence	**150**	**90 à 150**
Largeur d'impulsion	**50 à 140**	**180 à 250**
Mode	**N** ou **M**	**N** ou **M**

Commentaires: Faire les applications de base régulièrement (voir p. 53)

33 Règles douloureuses

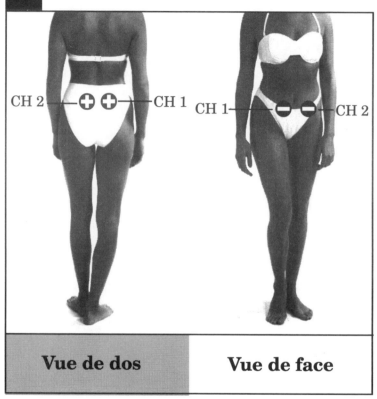

| **Vue de dos** | **Vue de face** |

Durée en minutes	**20 à 30**
Fréquence	**90 à 150**
Largeur d'impulsion	**120 à 180**
Mode	**M** ou **B**

Commentaires: Les négatifs sur la zone douloureuse, les positifs à l'opposé. Les électrodes doivent être appliquées sur la peau. (À utiliser pour les douleurs prémenstruelles) (Ne pas utiliser pendant les menstruations). Faire les applications de base (voir p. 53)

34 Rhume de sinus

Nez qui coule ou nez congestionné

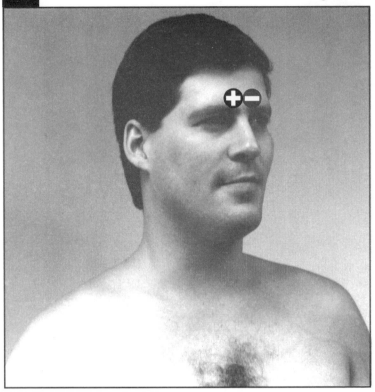

Durée en minutes	**20**
Fréquence	**90 à 150**
Largeur d'impulsion	**90 à 120**
Mode	**N**

Commentaires: Utiliser pendant 20 minutes; normalement le nez arrêtera de couler et la respiration devrait être rétablie. Sinon, baisser l'intensité et répéter l'application au besoin.

35 Sciatique

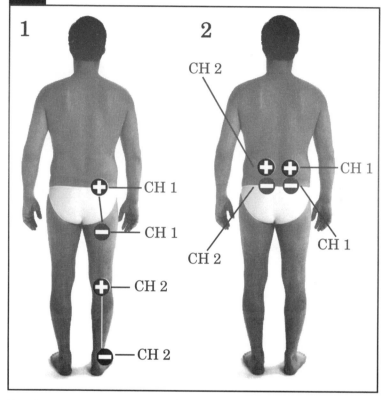

Douleur	**Aiguë**	**Chronique**	
Durée en minutes	**10 à 30**	**10 premières minutes**	**20 dernières minutes**
Fréquence	**50 à 150**	**2 à 20**	—
Largeur d'impulsion	**120 à 180**	**220 à 250**	**90 à 120**
Mode	**N ou M**	**N**	**B**

Commentaires: Toujours diminuer l'intensité avant de passer du mode Normal au mode Burst. Commencer par l'application sur la jambe; suivre avec l'application au bas du dos. Répéter idéalement 2 à 3 fois par jour. Faire les applications de base (voir p. 53)

36 Sinusite
Douleur frontale ou maxillaire

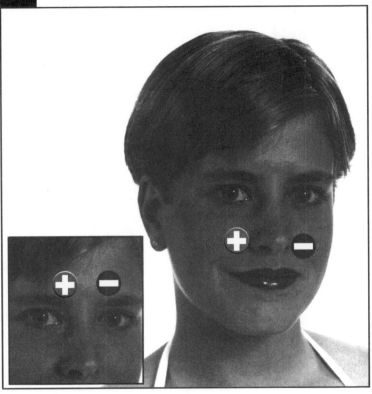

Durée en minutes	**20 à 30**
Fréquence	**50 à 150**
Largeur d'impulsion	**50 à 90**
Mode	**N ou M**

Commentaires: Utiliser les électrodes conventionnelles. Toujours ajuster l'intensité du courant pour être confortable. Faire les applications de base (voir p. 53)

37 Stress

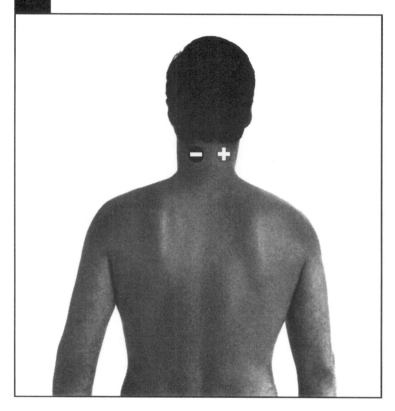

Durée en minutes	**20 à 30**
Fréquence	**50 à 150**
Largeur d'impulsion	**180 à 220**
Mode	**N** ou **B**

Commentaires: Cette application peut être répétée tous les jours. Faire les applications de base (voir p. 53)

38 Tête Douleur au front

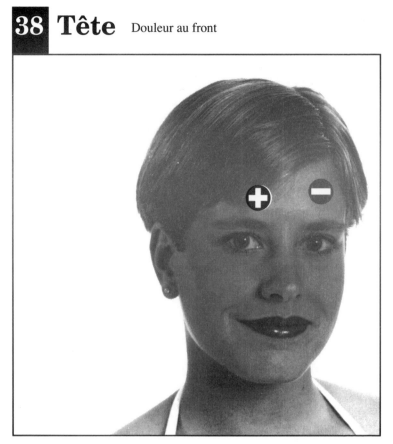

Douleur	**Front**
Durée en minutes	**20 à 30**
Fréquence	**90 à 120**
Largeur d'impulsion	**50**
Mode	**N** ou **M**

Commentaires: Faire les applications de base (voir p. 53)

39 Tête Douleur à la nuque

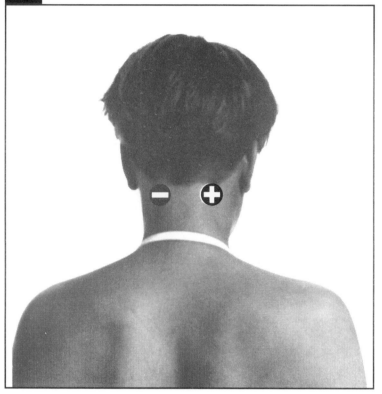

Douleur	**Nuque**
Durée en minutes	**20 à 30**
Fréquence	**90 à 120**
Largeur d'impulsion	**120 à 180**
Mode	**N** ou **M**

Commentaires: Faire les applications de base
(voir p. 53)

40 Tête Mal de tête général ou migraine

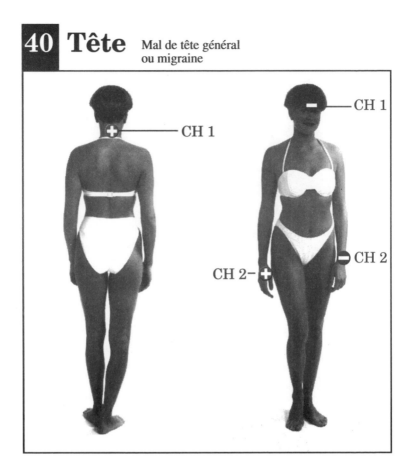

Durée en minutes	20 à 30
Fréquence	90 à 150
Largeur d'impulsion	50
Mode	N ou M

Commentaires: Faire au choix, les applications ci-haut ou celle de la page suivante. Faire les applications de base (voir p. 53)

41 Tête Mal de tête général ou migraine

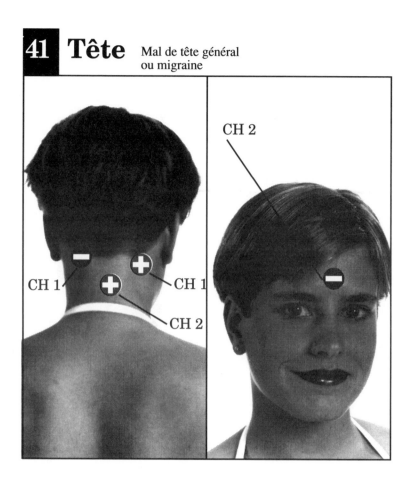

Durée en minutes	**20 à 30**
Fréquence	**90 à 150**
Largeur d'impulsion	**50**
Mode	**N** ou **M**

Commentaires: Faire les applications de base
(voir p. 53)

42 Torticolis

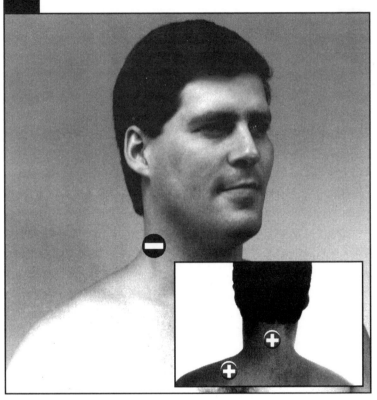

Durée en minutes	20
Fréquence	90 à 150
Largeur d'impulsion	50 à 120
Mode	N ou M

Commentaires: Placer le négatif sur la zone douloureuse. Répéter les applications au besoin. Le positif sur la cervicale ou sur le trapèze du côté de la douleur.

43 Toux laryngite

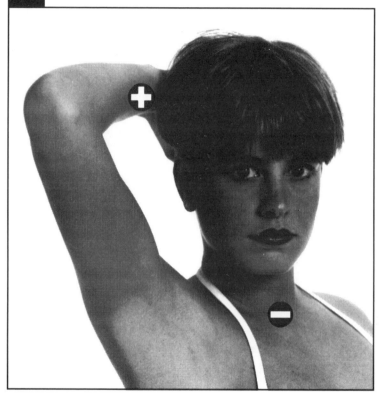

Durée en minutes	**20 à 30**
Fréquence	**150**
Largeur d'impulsion	**50 à 90**
Mode	**N** ou **M**

Commentaires: Les électrodes peuvent rester en place toute la nuit, à très faible intensité. Lorsque les électrodes sont enlevées, la toux reprend, ce qui permet d'expectorer; c'est un processus normal d'élimination des sécrétions. Ce traitement est très efficace pour vous empêcher de tousser si vous avez à prononcer une conférence ou un discours. Si vous avez les bronches congestionnées, faire également les applications recommandées pour les poumons.

44 Varice ou Jambes lourdes

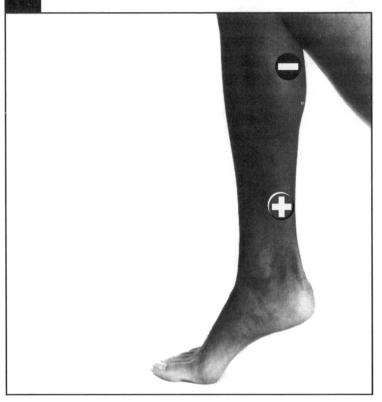

Durée en minutes	10 à 20
Fréquence	2 à 4
Largeur d'impulsion	120 à 140
Mode	N

Commentaires: Application 2 fois par jour de préférence les jambes surélevées. Faire les applications de base (voir p. 53)

45 Vessie

Durée en minutes	10 à 20
Fréquence	10 à 50
Largeur d'impulsion	120 à 180
Mode	B

Commentaires: Les électrodes doivent être placées directement sur la peau. Faire les applications de base (voir p. 53)

46 Zona

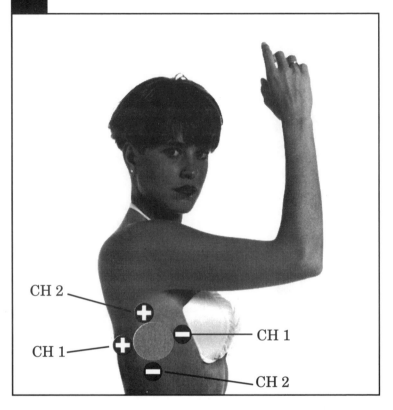

Durée en minutes	20 à 30
Fréquence	90 à 150
Largeur d'impulsion	120 à 180
Mode	N ou M

Commentaires: Douleur résiduelle: électrodes négatives sur la douleur. Pendant une éruption cutanée: placer les électrodes autour de la zone douloureuse. Répéter au besoin. Faire les applications de base (voir p. 53)

Troisième partie

Vivre en santé à tout âge

Chapitre VI
La santé

Nous sommes nés en santé avec un bagage héréditaire et un potentiel énergétique qui nous sont propres. Au cours de notre enfance et de notre adolescence, nous avons appris à lire, à écrire, à compter et à accumuler une foule de connaissances dans les domaines les plus divers. On nous a appris à vivre selon des codes et des lois: code de la route, code d'éthique, loi de l'impôt, loi sur les accidents de travail et ainsi de suite. Mais qu'en est-il des lois de la nature et des codes de la santé?

Les appareils les plus simples sont accompagnés d'un manuel à l'intention des utilisateurs. Mais l'organisme le plus complexe et le plus extraordinaire de la planète n'est pas venu au monde avec un guide pratique. Plus tard, alors que la maladie et la douleur nous accaparent, nous nous trouvons bien démunis, ignorants que nous sommes, des moyens parfois très simples pour y remédier. Nous devenons alors de simples "patients" incapables de nous prendre en mains. Nous oublions trop souvent que nous sommes les mieux placés pour connaître notre situation de santé. Pourtant, chacun de nous est né avec un médecin intérieur d'une sagesse incomparable connaissant ses mécanismes de défense et d'auto-guérison.

Nous avons bâti une société où la performance prime sur tout. Performant en classe, performant au travail, performant dans les sports; certains veulent même être performants au lit. La performance engendre inévitablement l'ambition et la compétition. Et c'est là que ça se gâte. À trop vouloir réussir à tout prix dans la vie, on oublie de réussir sa vie. Petit à petit, les gestes et les choses les plus simples de la vie sont mis de côté au profit de l'ambition. Choisir ses aliments, prendre le temps de manger et de préparer ses repas, respirer et prendre l'air, faire des exercices, se relaxer, se reposer perdent leur sens et leur importance.

Pendant des années, jour après jour, nous prenons de mauvais plis et devenons prisonniers de nos habitudes de vie. Le stress négatif se met à l'oeuvre. Les émotions refoulées, les excès de toutes sortes transforment le bien-être de notre enfance en "mal-être" des adultes. Les douleurs et la maladie deviennent le lot de notre quotidien.

Depuis le début du siècle, nous nous sommes débarrassés de nombreux fléaux comme les épidémies et les maladies infectieuses qui faisaient de grands ravages. Par contre, nous faisons face maintenant à des fléaux tout aussi graves. Les nouveaux "tueurs" sont implacables. Si on exclut les accidents d'automobile, les maladies cardiaques, l'hypertension artérielle, le cancer du colon et le cancer des poumons sont les principales causes de décès en Amérique du Nord. Et tous ces problèmes sont des conséquences de notre mode de vie et de notre façon de nous alimenter.

Face à nos maladies et à nos douleurs, nous préférons la plupart du temps des soulagements rapides et passagers. Nous choisissons la facilité temporaire aux changements plus profonds de nos habitudes. Pourtant, la majorité de nos maux sont reliés à notre mode de vie. Déjà, il y a 2 000 ans, Hyppocrate, le père de la médecine, l'affirmait: "les maladies ne sont pas l'effet du hasard, mais la conséquence d'un certain mode de vie".

Plusieurs d'entre nous en sommes venus à considérer la santé comme l'absence de maladie. Elle est beaucoup plus que cela. À la fin des années 40, l'Organisation mondiale de la santé a proposé une définition très éclairante: "la santé est un état de complet bien-être physique, mental et social et non pas simplement une absence de maladie ou d'infirmité". Si nous ne sentons pas au-dedans de nous un élan vital, un dynamisme qui nous pousse à l'accomplissement, un sentiment de satisfaction de nos besoins, une impression générale d'harmonie, il y a de fortes chances que nous ne connaissions pas ce qu'est la santé. Il est aussi fort probable que notre capacité à résister à la maladie soit faible.

La santé est sûrement le bien le plus précieux que nous ayons reçu à la naissance. Toute notre vie, elle est une source de préoccupation importante pour nous et pour ceux qui nous entourent. Malgré nos inquiétudes, nous nous contentons souvent de l'absence de maladie comme preuve de santé. Même notre langage a modifié notre système de références. Pourquoi, par exemple, parlons-nous toujours de maladies plutôt que de problèmes de santé? Pourquoi avons-nous créé l'assurance-maladie plutôt que l'asssurance-santé?

Pour vivre en santé, il faut être à l'écoute de soi et se regarder vivre. Notre façon de manger, de bouger, de dormir, de respirer, d'aborder la vie constitue un véritable enseignement sur la manière dont nous créons nos misères. Prendre sa santé en mains demande un certain effort, mais ce n'est pas bien compliqué. Voici une première étape facile comme tout. Placez-vous devant un miroir et examinez-vous. Vous tenez-vous droit? Avez-vous des problèmes de peau? Vos chairs sont-elles fermes autour des membres? Êtes-vous bedonnant? Avez-vous de la cellulite? Tirez la langue! Est-elle chargée? Vos dents sont-elles cariées? Le blanc de vos yeux est-il jaune? Avez-vous des pellicules? Voilà autant de petits signes d'encrassement de l'organisme. Un simple miroir peut vous révéler beaucoup sur votre état de santé, et ça ne coûte pas cher!

La majorité des maladies comme les troubles cardiaques, le cancer, l'arthrite, le diabète, l'emphysème n'apparaissent pas soudainement. Leur évolution s'est faite lentement et sournoisement pendant des années. Notre corps nous parle. Il lance des messages, et "sonne l'alarme". Ah! C'est pas grave, dites-vous. Mais les petits malaises d'aujourd'hui peuvent être annonciateurs de maladies plus sérieuses plus tard. Un simple mal de tête qui revient constamment peut être un signe plus important qu'on ne le pense. Il en est ainsi de nombreux symptômes courants; ils sont autant de signes que le corps cherche à rétablir un état de santé. Il faut savoir reconnaître ses faiblesses et y remédier avant de tomber dans l'engrenage des troubles chroniques.

Il faut également avoir l'esprit ouvert. Il ne faut pas hésiter à poser des questions. À soi d'abord, puis à son professionnel de la santé. Au lieu de se résigner à la maladie, aux douleurs et à la vieillesse, pourquoi ne pas se renseigner sur les moyens existants pour accroître son bien-être et sa vitalité, et ensuite faire ses propres expériences personnelles.

Si vous avez entre les mains ce livre, c'est un pas dans la bonne direction; c'est le signe que vous recherchez des moyens de vous prendre en mains, de mieux vous connaître et d'améliorer votre sort.

Dans cette troisième partie du livre, nous allons faire un survol rapide des principaux facteurs favorisant le maintien de la santé. La neurostimulation transcutanée est, comme nous l'avons vu précédemment, une méthode efficace et surtout entièrement naturelle pour soulager les douleurs et plusieurs malaises. Son efficacité peut être grandement améliorée en observant un certain nombre de lois toutes simples, enseignées par le plus grand maître de tous les temps: la Nature. Un régime alimentaire équilibré, la pratique régulière d'un exercice physique et de la relaxation, une respiration correcte sont essentiels non seulement pour la santé physique mais aussi la santé mentale et émotionnelle.

Vivre en santé ne veut pas dire se priver de tous les plaisirs de la vie. L'expérience de la santé doit permettre de nous harmoniser. Elle doit se faire de manière agréable et dans la gaieté tout en respectant quelques principes: éviter tout changement radical qui pourrait provoquer des réactions désagréables; vivre toute expérience avec légèreté; une discipline trop rigoureuse entraîne un stress inutile et il ne faut surtout pas remplacer un stress par un autre; cesser toute expérience si elle devient pénible; ne pas se prendre trop au sérieux; fuir l'intolérance de ceux qui se croient en possession d'une seule vérité.

La santé demande une collaboration étroite entre tous les mécanismes de notre organisme et nous-même. Par des sensations agréables ou désagréables, notre corps nous informe de la façon dont nous en prenons soin. En étant attentif à ses messages, nous pouvons établir une relation beaucoup plus harmonieuse avec nous-même, nos proches et tout ce qui nous entoure.

Mise en garde : vivre en santé peut être dangereux! Vous risquez de voir la vie de façon différente et d'être plus heureux que jamais. La santé risque d'être contagieuse et provoquer des conséquences épouvantables. Imaginez un peu une épidémie de santé, créant un état de bien-être physique, émotionnel, mental et social. Dans quel monde vivrions-nous?

Chapitre VII
L'alimentation

Manger est une nécessité fondamentale à notre fonctionnement. C'est aussi une source de plaisir et un élément important de nos activités sociales. Mais alors que dans plusieurs pays du Tiers Monde, des populations entières souffrent et meurent de la faim, en Occident et plus particulièrement en Amérique du Nord, des millions de gens creusent littéralement leur tombe avec leurs dents.

Comment en sommes-nous arrivés à consommer autant d'aliments qui, ont le sait aujourd'hui, engendrent la plupart des maladies actuelles? L'évolution sociale et industrielle, depuis le tournant du siècle, a modifié considérablement nos habitudes de vie et nous a éloignés de nos besoins essentiels. Plusieurs facteurs typiques de notre société: les procédés modernes d'agriculture, le traitement industriel des aliments et notre richesse matérielle ont conduit à l'accroissement de la consommation de produits raffinés et dévitalisés, à forte teneur en graisses et en sucre, autrefois considérés comme produits de luxe. À titre d'exemple, mentionnons qu'au début du siècle, la consommation de sucre en Amérique du Nord était de 2,5 kg par personne par année alors que maintenant elle est de 50 kg par personne. Pas étonnant qu'il y ait autant d'enfants agités, d'hypoglycémiques, de diabétiques, d'obèses, de personnes souffrant de fatigue chronique sans compter les personnes atteintes de maladies mentales où la consommation de sucre peut jouer un rôle important. Graduellement, la qualité de notre alimentation s'est globalement altérée, faisant de nous - quel paradoxe! - des mal nourris tout en étant suralimentés.

Aujourd'hui, grâce à de nombreuses recherches effectuées dans le domaine, nous savons qu'il existe des liens étroits entre l'alimentation et une foule de maladies. La preuve de l'importance de l'alimentation comme facteur déterminant de la santé, n'est plus à faire. On connaît bien, à présent, les éléments nutritionnels pouvant améliorer la santé, prévenir certains troubles et même les éliminer. On sait qu'un mauvais régime alimentaire peut augmenter le niveau de stress, provoquer des troubles nerveux et influencer le développement physique et mental.

Une alimentation saine

Que signifie s'alimenter sainement? En principe, ce n'est pas difficile en soi si, comme les peuplades indigènes, nous choisissons nos aliments instinctivement. Mais en pratique, l'abondance des produits offerts vient compliquer la situation. Entrer de nos jours dans un supermarché, c'est se retrouver devant plus de 6 000 produits différents où, à chaque année, viennent s'en ajouter des centaines pour remplacer ceux qui ne sont pas rentables. Par ailleurs, notre éducation nous a fait prendre pour acquis plusieurs notions qui, maintenant, sont fortement contestées.

Ces deux facteurs nous ont fait perdre nos instincts les plus élémentaires et le sens de la simplicité; facultés retrouvées chez des peuples soi-disant moins évolués.

Au début du siècle, un éminent médecin britannique, le docteur Robert McCarrison, découvrait au nord de l'Inde dans l'Himalaya un peuple, les Hounza, qui ne connaissait pas nos maladies occidentales. Non seulement ces gens jouissaient-ils d'une excellente santé mais la plupart d'entre eux vivaient en grande forme jusqu'à un âge avancé de 100 et même 120 ans.

Le docteur McCarrison a rapporté dans de nombreux articles les facteurs contribuant à leur belle santé :

- Ils ne mangeaient que les produits de leur sol;

- Ils cultivaient eux-mêmes leurs produits selon des méthodes organiques;

- Leur alimentation était naturelle et quasi-végétarienne;

- L'apport en sucres provenait exclusivement des fruits qu'ils cultivaient;

- Le principal apport en hydrates de carbone provenait de céréales de grains entiers;

- Une grande partie des protéines était absorbée sous forme de produits laitiers, la viande étant très rare dans leurs menus;

- Ils avaient tendance à manger leurs fruits et leurs légumes crus;

- Les bébés étaient nourris au sein.

Depuis une quinzaine d'années, tant aux États-Unis qu'au Canada, plusieurs commissions et groupes d'intervention gouvernementaux ont proposé des politiques nutritionnelles rappelant les principes observés par les Hounza. On peut les résumer ainsi :

- Favoriser la consommation de repas équilibrés trois fois par jour;
- Réduire drastiquement l'apport en sucres en remplaçant les boissons gazeuses, les friandises, les gâteaux, les tartes et les biscuits par des fruits ou des produits laitiers maigres et en diminuant la consommation de desserts;
- Réduire l'apport en matières grasses en évitant les fritures et en diminuant la consommation de viande, particulièrement la viande rouge en la remplaçant par de la volaille, du poisson et des protéines d'origine végétale;
- Favoriser l'allaitement maternel et en allonger la durée;
- Augmenter l'apport en fibres grâce à la consommation de fruits et légumes frais, de légumineuses et de céréales de grains entiers;
- Conserver la valeur nutritive des aliments en les mangeant le plus frais et le moins cuits possible;
- Diversifier ses menus pour pallier à certaines carences en vitamines, minéraux et oligo-éléments.

À ces directives, on peut ajouter:
- Éviter les aliments chimifiés et contenant des additifs comme les nitrites, la saccharine et la caféine. Lire les étiquettes attentivement avant d'acheter un produit transformé;
- Remplacer les boissons contenant de la caféine, café, thé, colas, par de l'eau ou des infusions.

Des aliments complets pour la santé

Bien des gens s'imaginent qu'adopter un régime sain signifie bouleverser leurs habitudes, s'imposer des changements stressants, supprimer les sucreries et les matières grasses, ne se nourrir que de riz brun, de salades et de jus de carottes. La vie est trop courte pour qu'on ait à vivre dans la monotonie. Avoir un régime sain signifie plutôt équilibrer son alimentation par l'apport d'éléments nutritifs variés et équilibrés, choisir des produits frais de première qualité et enfin connaître ses besoins personnels. Tout le monde ne métabolise pas les aliments de la même façon et chacun a un mode de vie qui lui est propre. On doit donc choisir ses aliments selon ses tendances instinctives. Il n'y a pas de régime universel, convenant à tout le monde.

Il est de plus en plus reconnu que bien des gens ont retrouvé la santé en devenant végétariens. Dans la mesure où certaines règles sont respectées pour assurer un apport suffisant en protéines, c'est excellent. D'autres tiennent mordicus à manger de la viande. Ils peuvent connaître le même bien-être que les végétariens si leur consommation est raisonnable et s'ils augmentent la part des légumes, des fruits frais et des céréales complètes dans leur régime. Les charcuteries sont à proscrire d'une alimentation saine: elles contiennent beaucoup de gras ainsi que de nombreux produits toxiques très nuisibles pour l'organisme.

Quel que soit le régime choisi, on peut varier à l'infini ses menus et faire de son alimentation un plaisir constamment renouvelé. Le principe le plus élémentaire consiste à consommer les aliments à l'état le plus naturel possible ou en les dénaturant le moins possible par la cuisson ou l'ajout de sauces, de sel et de sucre. Les aliments fournissent alors la gamme complète des éléments nutritifs dont l'organisme a besoin. En éliminant les éléments nocifs de son régime, on retrouve le vrai goût des aliments de base. Faites le test suivant. Éliminez le sucre et les desserts de votre alimentation pendant seulement un mois. Vous constaterez une grande différence au bout de cette période. Votre conception de ce qui est "délicieux" va changer. Votre beau gros morceau de gâteau au fromage marbré de chocolat risque de vous tomber sur le coeur. En revanche, vous retrouverez le vrai bon goût d'une pomme, d'une tomate ou d'une carotte et vous les trouverez même sucrées au goût.

Si vous décidez de changer vos habitudes alimentaires, faites-le graduellement. N'imposez pas à votre organisme des changements trop rapides. Votre corps pourrait expérimenter des réactions de désintoxication très bénéfiques pour lui mais désagréables à subir pour vous.

N'oubliez pas que vous vivez en société. Votre entourage n'a pas pris la même décision que vous. Les gens autour de vous ne sont peut-être pas prêts à adopter de nouvelles habitudes. Chaque chose en son temps. Prenez le temps de découvrir les plaisirs d'un nouveau genre de gastronomie. Il existe d'ailleurs d'excellents livres de recettes pour se maintenir en santé. N'imposez pas vos changements à votre entourage, faites leur plutôt partager vos découvertes. Soyez discipliné et persévérant dans la poursuite de vos changements mais ne vous prenez pas trop au sérieux. Vous jouirez d'une bien meilleure santé.

Les éléments essentiels

Pour se développer, fonctionner et se régénérer notre organisme a besoin d'un ensemble de matériaux qu'on doit retrouver dans une alimentation équilibrée. Ces éléments essentiels sont les protéines, les fibres, les vitamines, les minéraux, les lipides et les glucides.

Les protéines

Elles consistent en acides aminés dont le corps a besoin d'abord pour grandir, puis pour entretenir la qualité des muscles et des tissus. Sur la vingtaine d'acides aminés dont le corps a besoin, huit proviennent d'aliments contenant des protéines. Les protéines d'origine animale - viande, produits laitiers, oeufs - contiennent les acides aminés dans les proportions nécessaires à l'organisme humain. Celles d'origine végétale doivent être combinées pour fournir un niveau adéquat d'acides aminés. Dans plusieurs pays, on retrouve des recettes traditionnelles combinant les protéines: riz et lentilles en Inde, pâtes et tofu au Japon, blé concassé et pois chiches au Maroc, tortillas de maïs et fèves noires au Mexique. Avec un peu d'imagination on peut les varier à l'infini.

Bonnes sources de protéines :

- Viande, poisson, volaille;
- Céréales : farine de soja, farine de blé entier et de seigle, germes de blé, son, flocons d'avoine, semoule, pain complet;
- Produits laitiers et oeufs : lait de vache, lait de chèvre, lait de soja, yogourt, kéfir, fromage, oeufs;

- Noix et amandes: arachides, noix de Grenoble, pistaches, amandes;
- Légumineuses: pois chiches, lentilles, tofu (fromage de soja), pois cassés, haricots secs, gourganes.

Les fibres

Elles désignent un ensemble de substances non digérées par les enzymes mais indispensables au bon fonctionnement du système digestif. Elles contribuent à leur façon à protéger la santé et à prévenir la maladie. Entre autres fonctions, elles réduisent le taux de cholestérol, elles absorbent l'eau des intestins et facilitent le transit intestinal. Les fibres ont besoin d'être bien mâchées. À noter que la viande et les produits laitiers ne contiennent aucune fibre.

Bonnes sources de fibres alimentaires :

- Céréales et légumineuses: farines de grains entiers, son, flocons d'avoine, pain complet, orge mondée, haricots secs, pois chiches, lentilles;
- Fruits : tous les fruits secs, abricots, dattes, figues, pruneaux, raisins; les fruits frais: pommes, poires, bananes, framboises, cerises, fraises, pêches, oranges;
- Noix et amandes : noix de coco, amandes, arachides, noix du Brésil;
- Légumes : pois verts, persil, épinards, céleri, maïs (blé d'inde).

Les vitamines

Le corps utilise ces substances chimiques en toutes petites quantités mais elles sont essentielles à son bon fonctionnement. Les besoins en vitamines varient pour chaque personne, selon l'âge, le sexe et l'activité. Les enfants, les femmes enceintes et celles qui allaitent, les convalescents et les personnes âgées ont besoin de plus grandes quantités. Plusieurs produits de grande consommation comme l'alcool, le café, le tabac, certains médicaments de même que le conditionnement des aliments détruisent plusieurs vitamines.

Bonnes sources des principales vitamines :

– Vitamine A : carottes, persil, cresson, algues, légumes jaunes et verts, poivron rouge, beurre, margarine, abricots, huiles de poisson, foie, pollen;
– Vitamines B :

B_1 : germe de blé, noix du Brésil, arachides, riz complet, son, millet, levure, la plupart des légumes, pollen;

B_2 : malt d'orge, amandes, germe de blé, fromages, jaune d'oeuf, foie, poisson, pollen, luzerne germée;

B_3 : foie, viande maigre, viande blanche de volaille, poisson, oeufs, levure de bière, arachides rôties, avocat, dattes, figues, pruneaux, graines germées;

B_5 : pollen, germe de blé, grains entiers, levure, jaune d'oeuf, légumes verts, noix, foie, poulet;

B_6 : son, germe de blé, noix, farine de soja, foie,

jaune d'oeuf, cantaloup, chou, mélasse, levure, graines germées;

B_{12} : jaune d'oeuf, fromages, foie, boeuf, porc, levure alimentaire;

B_{15} : levure, graines germées, riz complet, grains entiers, graines de citrouille, graines de sésame;

· Acide folique : légumes verts à feuilles, carotte, jaune d'oeuf, cantaloup, avocat, blé entier et seigle entier, luzerne germée;

· Inositol : foie, levure, fèves de Lima séchées, cantaloup, pamplemousse, raisins secs, mélasse non raffinée;

· Paba : foie, levure, grains entiers, riz, son, germe de blé, mélasse.

N.B. Le complexe B correspond à l'ensemble des vitames B. La viande est une bonne source de vitamines du complexe B. Les algues, particulièrement la spiruline, est un des rares végétaux à contenir de la vitamine B_{12}.

– Vitamine C : poivron vert, jaune, rouge, persil, légumes verts, pomme de terre, citron, orange, pamplemousse;

– Vitamine D : produits laitiers, margarine, jaune d'oeuf, huiles de poisson, saumon, thon, sardine, graines germées;

– Vitamine E : huile de germe de blé, noix, margarine, jaune d'oeuf, huiles végétales insaturées, brocoli, chou de Bruxelles;

– Vitamine F : huile de germe de blé, de lin, de tournesol, de soja, avocat, graines de tournesol germées;

- Vitamine K : yogourt, luzerne germée, jaune d'oeuf, varech, huile de foie de poisson, huile de soja, légumes verts à feuilles;
- Vitamine P : citron, orange, pamplemousse, abricot, cerise, églantier, sarrasin, persil.

Les minéraux

De même que les vitamines, les minéraux sont nécessaires à l'organisme en petites quantités. Le corps humain comprend une centaine de minéraux dont une vingtaine d'entre eux sont considérés comme essentiels. On en retrouve six en grande quantité : sodium, potassium, chlore, calcium, phosphore et magnésium. Les plantes absorbent les minéraux dans le sol et sont nos principales sources. Si le sol est dévitalisé, comme c'est souvent le cas de nos jours, les fruits et légumes que nous mangeons sont pauvres en vitamines et minéraux. La culture biologique redonne à notre nourriture les éléments essentiels à notre fonctionnement.

Les minéraux sont présents dans les os, les dents, les fibres musculaires et les cellules nerveuses. Dans ces dernières, ils jouent un rôle capital dans la transmission des courants de l'influx nerveux.

Bonnes sources des principaux minéraux :
- Calcium : produits laitiers, fromage, produits du soja, sardines, saumon, haricots secs, graines de tournesol, noix de Grenoble, légumes verts, poudre d'os, algues;
- Cuivre : fruits de mer, algues, fruits secs, ail, artichaut, persil;

- Fer : algues, légumes verts, mélasse brute, jaune d'oeuf, betterave, fruits secs;
- Iode : algues de mer, poisson, cresson, ail, fruits de mer;
- Magnésium : citron, figue, pamplemousse, pomme, amande, germe de blé, son, millet, légumes verts, miel;

Phosphore : poisson, volaille, viande, grains entiers, oeufs, noix, graines, levure, poudre d'os;

Potassium : abricot, citron, orange, pamplemousse, melon, banane, tomate, cresson, légumes verts, gaines de tournesol, pomme de terre, mélasse;

- Sélénium : germe de blé, son, thon, oignon, tomate, brocoli, levure;
- Sodium : sel de mer, fruits de mer, carotte, betterave, artichaut, varech;
- Zinc : viande de boeuf, de porc et d'agneau, fruits de mer, poisson, germe de blé, levure de bière, graines de citrouille, oeuf.

Les glucides

Les sucres (glucides simples) et les amidons (glucides complexes) constituent nos plus importantes sources d'énergie. On retrouve les sucres simples sous forme de glucose, fructose, galactose, saccharose, maltose et lactose. Dans notre société, le saccharose provenant surtout du sucre blanc, est de loin le sucre le plus consommé; il provoque comme on le sait plusieurs problèmes de santé.

Les amidons ou hydrates de carbone se retrouvent dans les pommes de terre et les produits à base de grains et de céréales, comme le pain et les pâtes. Leur digestion dans notre système est beaucoup plus lente que celle des sucres simples. Cependant, ils ont un effet régulateur en maintenant dans notre sang un taux de sucre suffisamment élevé pour nos besoins entre les repas et pendant l'activité physique.

Bonnes sources de glucides :
– riz brun entier, pain complet, sarrasin, flocons d'avoine, pâtes alimentaires, pommes de terre, pois cassés, lentilles, fèves de Lima.

Les lipides

Les lipides (graisses) complètent l'apport énergétique des glucides dont le corps a besoin. Ils se divisent en deux grands groupes: les graisses saturées et les graisses insaturées. Les premières sont, en général, d'origine animale: on les retrouve habituellement à l'état solide à la température de la pièce. Le gras animal provenant de la viande, des oeufs, du beurre, du lait et du fromage est la principale source de graisse saturée. On en retrouve aussi dans certaines margarines faites de graisses hydrogénées.

Les graisses insaturées proviennent surtout des huiles végétales et du poisson. Les huiles végétales, de préférence pressées à froid, les noix et certains fruits comme l'avocat sont d'excellentes sources de graisses insaturées.

S'ils sont essentiels au maintien de la santé, les lipides n'en demeurent pas moins dangereux lorsque consommés en trop grande quantité. C'est particulièrement vrai des graisses animales qui peuvent s'accumuler en dépôts sur les parois artérielles et causer l'artériosclérose, des troubles circulatoires, l'embolie et la crise cardiaque. Il faut donc réduire de façon générale sa consommation de matières grasses et préférer les graisses insaturées d'origine végétale aux graisses saturées d'origine animale.

Bonnes sources de graisses insaturées :
— huiles de carthame, de soja, d'olive, de tournesol, noix de Grenoble, arachides, farine de soja, avocat.

Une question d'éducation

Notre éducation dans le domaine alimentaire nous a apporté plusieurs notions que nous considérons aujourd'hui comme acquises et véridiques. Plusieurs d'entre elles n'ont aucun fondement scientifique. En continuant à être véhiculées à tort et à travers, par des personnes, la plupart du temps de bonne foi, elles empêchent un grand nombre à s'engager sur la voie de changements bénéfiques à la santé.

Ça prend de la viande pour faire des muscles!
L'animal le plus gros et le plus puissant de la terre, l'éléphant, ne mange pas de viande; le boeuf, l'agneau, le porc, le poulet non plus. Ils transforment les éléments nutritifs des plantes pour nourir leurs cellules. Nous pouvons faire de même. L'homme est un être omnivore, c'est-à-dire qu'il peut manger de tout. Cependant, sa dentition et son tube digestif ne sont pas ceux des carnivores. Il sont plus adaptés à une nourriture d'origine végétale devant être mastiquée adéquatement pour être bien digérée. Essayez donc

de manger un morceau de viande crue provenant d'un animal venant juste d'être abattu.

Il est vrai que la chair animale, les oeufs, les produits laitiers fournissent un apport protéique nécessaire à notre santé, mais ils deviennent nocifs s'ils ne sont pas consommés avec modération. L'organisme humain requiert en moyenne 70 grammes de protéines par jour. Le Nord-Américain moyen en consomme sept à huit fois plus. D'où surcharge importante pour l'organisme et apparition des maladies de civilisation qu'ignorent les peuples se nourrissant principalement d'aliments végétaux. Ajoutons que la chair des animaux d'aujourd'hui est bien différente de celle que consommaient nos ancêtres. Les animaux ne sont plus à l'état libre pour brouter mais parqués et entassés dans des enclos intérieurs où les conditions de vie sont parfois bien cruelles. La viande que nous consommons provient d'animaux ayant vécu dans la peur et le stress et engraissés aux hormones et aux antibiotiques. La supériorité des protéines animales est un mythe dont il faut se délivrer. Les diètes actuelles pour rendre les athlètes plus performants en témoignent puisqu'on a remplacé plusieurs régimes carnés par des aliments d'origine végétale. À la condition de bien les combiner, les protéines végétales peuvent remplacer avantageusement la viande dans un repas. Et c'est beaucoup plus économique. Il n'est pas question ici de renoncer à la viande pour toujours; cependant, il peut être intéressant de faire l'expérience de la remplacer pendant un certain temps par des céréales et des végétaux. De nombreux problèmes de santé chroniques tels que l'arthrite, les allergies, les troubles digestifs s'atténuent considérablement...

pour reparaître dès que la consommation de viande redevient excessive. C'est à chacun de trouver la quantité qu'il peut supporter sans problèmes.

C'est meilleur salé!

Le sel crée rapidement une accoutumance. Notre tendance à trop en consommer nous masque le vrai goût des aliments. Nous avons besoin de sel c'est vrai, mais on le retrouve dans de nombreux aliments. Son excès engendre l'hypertension. Il est aussi lié à certaines maladies comme l'arthrite.

Le sucre, c'est de l'énergie!

Les sucres raffinés comme le sucre blanc, la cassonade et les nombreux ajouts de glucose dans une foule d'aliments transformés contiennent de l'énergie, mais aucun élément nutritif. Notre éducation nous a enrobés dans le sucre dès notre plus tendre enfance. Pour certaines personnes, la consommation de sucre devient un besoin constant, se manifestant même par de véritables rages. Les sucres raffinés sont absorbés très rapidement par l'intestin grêle et provoquent une élévation rapide du taux de sucre sanguin (hyperglycémie). Celle-ci cause un état d'excitation temporaire, puis entraîne une baisse du taux de sucre sanguin (hypoglycémie). C'est alors qu'apparaissent des symptômes de faim, de fatigue et de dépression. C'est le coup de fatigue que ressentent beaucoup de gens au milieu de la matinée et dans l'après-midi. À ce moment-là, l'organisme réclame un nouveau stimulant: café, sucre, tablette de chocolat. Voilà le taux de sucre sanguin reparti dans les "montagnes russes". Le pancréas ne suffit plus à la tâche, le système nerveux s'épuise, ce qui provoque fatigue, irritabilité, agressivité, affaiblissement général et plus tard, des déséquilibres beaucoup plus sérieux comme le diabète. L'élimination du sucre raffiné et des choses très sucrées dans l'alimentation favorise le rétablissement des mécanismes régulateurs. Il est préférable de remplacer les produits de confiserie par des fruits frais entre les repas. On peut ajouter que la consommation de desserts après les repas ne correspond à aucun besoin physiologique de notre organisme. Au contraire, ils ont tendance à alourdir et à ralentir considérablement la digestion. En fait, nous avons transformé ce qui était autrefois un plaisir occasionnel apprécié en une véritable habitude, plus souvent qu'autrement néfaste à notre santé.

Le lait, c'est bon pour les os!

La population des sociétés occidentales vieillit. Il est reconnu qu'en vieillissant notre masse osseuse perd de sa densité et devient plus fragile. De là à dire qu'il faille boire beaucoup de lait pour absorber du calcium, comme veut nous le faire croire la publicité, il n'y a qu'un pas. C'est vrai que nous avons besoin de calcium mais on peut le trouver dans bien d'autres sources que le lait. Il faut rappeler que le lait actuel est loin d'être naturel. La pasteurisation et l'homogénéisation modifient grandement sa structure moléculaire tout en le privant de ses bactéries, de ses vitamines et de ses minéraux. De plus, plusieurs adultes et, contrairement à la croyance populaire, plusieurs enfants n'ont pas les enzymes nécessaires pour le digérer. La consommation de lait est un phénomène essentiellement nord-américain. Les trois-quart de l'humanité ne connaissent pas le lait de vache et ne s'en portent pas plus mal.

Ce qui est vrai pour le lait, ne tient pas nécessairement pour les produits laitiers transformés comme le yogourt, le kéfir, le fromage. Le procédé de fabrication de ces produits leur apporte des bactéries fort utiles pour notre organisme et en facilitent leur digestion. Il faut se méfier de certains yogourts de commerce qui contiennent beaucoup de sucre. Il faut préférer des produits "nature" ou, encore mieux, les fabriquer soi-même et y ajouter des fruits frais, des fruits séchés et des noix. Les produits laitiers absorbés en grande quantité ont tendance à intensifier la production des sécrétions au niveau du nez et des bronches. Le métabolisme de chaque personne étant différent, c'est à chacun d'apprendre, par l'expérience, dans quelle mesure son organisme digère le lait et ses dérivés.

Ça me prend mon petit café le matin!

La caféine se trouve en grande quantité dans les produits comme le café, le thé, le chocolat et les colas. Elle est un excitant qui incite l'organisme à puiser dans ses réserves de sucre pour lutter contre l'afflux de cet élément intoxicant. Comme l'alcool, la caféine peut engendrer l'hypertension ainsi que des déséquilibres nerveux. D'après certaines recherches, elle peut également entraîner des problèmes au niveau des seins et de la prostate. La "modération a bien meilleur goût" et il est préférable de remplacer, le plus souvent possible, le café par des boissons moins excitantes comme les tisanes et les cafés de céréales.

Je mange seulement 1 200 calories
par jour pour perdre du poids!

Il ne se passe pas de semaine sans voir apparaître un nouveau régime amaigrissant invitant à restreindre le nombre de calories absorbées quotidiennement pour perdre du poids.

Le corps humain n'est pas comparable à une maison requérant du combustible pour être chauffée. Le corps humain est un organisme vivant et complexe ayant besoin d'éléments nutritifs essentiels pour se maintenir en santé et régénérer ses cellules. Ces éléments sont non seulement indispensables mais ils doivent être de première qualité: vitamines, minéraux et oligo-éléments retrouvés en quantité suffisante dans les protéines, les glucides, les lipides.

On a tendance à confondre calories et énergie vitale. Celle-ci se retrouve dans la qualité et la variété de nos aliments. On a déjà dit que nous étions ce que nous mangions mais nous sommes surtout ce que notre corps assimile et utilise.

À quoi sert-il de compter les calories si les aliments consommés sont remplis d'additifs chimiques nocifs et sans valeur nutritive. Une tasse de riz blanc, par exemple, contient 530 calories alors qu'une tasse de riz brun seulement 515. On pourrait affirmer que le riz blanc est plus "calorifique" que le riz brun. Cependant, en s'en tenant à cette seule notion de calories, on oublierait de mentionner que le riz blanc a perdu, au cours de sa transformation, 30% de calcium, 55% de fer, une grande partie des vitamines du complexe B et toutes les fibres retrouvées dans le grain entier.

Il est donc souhaitable d'apprendre à bien équilibrer son alimentation en choisissant les éléments nécessaires à ses besoins nutritionnels. Réduire la consommation de viande, éliminer les fritures et le sucre, augmenter la consommation de légumes, de fruits frais et de grains entiers, manger lentement en mastiquant beaucoup, sont des habitudes beaucoup plus efficaces à court et à long terme que la "comptabilité" des calories.

Chapitre VIII
La désintoxication

Modifier son alimentation est sûrement l'étape la plus décisive vers l'amélioration de la santé. Elle nous permet de prendre conscience, dans un premier temps, des matériaux de construction nécessaires à notre organisme. Si la qualité des aliments que nous mangeons est capitale pour notre santé, la qualité du fonctionnement de nos organes d'élimination est tout aussi importante.

On parle beaucoup de nos jours de pollution et des déchets toxiques dont nous devons nous débarrasser. On oublie trop souvent que le principal lieu de pollution demeure notre corps. Notre organisme absorbe, digère et assimile les éléments qui lui sont offerts. L'accumulation des déchets appelés toxines, due à l'ingestion d'aliments chimifiés (additifs, colorants, saveurs artificielles), d'aliments trop cuits, trop gras ou trop sucrés conduit progressivement à l'intoxication.

Tant que les toxines assimilées restent dans les limites des capacités du corps à s'en débarrasser, nous expérimentons un état de bien-être constant. Dès que les fonctions d'élimination sont encrassées, les cellules qui constituent la base de nos tissus perdent de leur vitalité. Petit à petit, mais très sûrement notre capital énergétique s'affaiblit. Des symptômes apparaissent sur la peau, aux poumons, au foie, aux reins, aux intestins, aux articulations et dans les tissus sous la forme de malaises et de douleurs. Le corps est en train de signaler le besoin de se nettoyer. Si vous vous réveillez le matin "mal dans votre peau", dites-vous que vos organes cherchent à se débarrasser des toxines en trop. Et ce n'est pas en avalant un café et un beigne qu'on améliore la situation.

De tout temps, les hommes ont pratiqué des techniques de désintoxication pour assainir et régénérer le corps. Le carême et le vendredi maigre d'autrefois étaient originalement des périodes de repos pour l'organisme et non des "pénitences" imposées par la religion. Notre société moderne "évoluée" a mis de côté certaines pratiques toutes simples et toutes naturelles au profit de recettes miracles à base de médicaments dont on connaît trop peu les effets secondaires. Des milliards de dollars de laxatifs sont achetés chaque année pour soulager de la constipation due à de mauvaises habitudes alimentaires. Ne serait-il pas plus sage de modifier son alimentation et d'entamer un processus de nettoyage du corps de temps à autre au lieu de "se bourrer" de médicaments n'apportant qu'un petit soulagement temporaire.

Imaginez la situation si les éboueurs de toute une ville demeuraient en grève pendant plusieurs jours. La majorité de la population n'accepterait pas une telle situation et ferait des pieds et des mains pour qu'elle cesse. Pourtant, ces mêmes personnes - sept sur dix en Amérique du Nord - acceptent de vivre constipées pendant parfois plusieurs jours en gardant bien au chaud leurs déchets dans leur intestin.

Assainir son organisme par la désintoxication est un complément nécessaire à l'amélioration de son intégrité physique. Il existe plusieurs méthodes naturelles pour le faire. Sans décrire en détail ces diverses méthodes, nous en proposons ici quelques unes. Libre à chacun de décider laquelle lui convient le mieux.

Le jeûne

La méthode de désintoxication la plus ancienne et sûrement la plus efficace demeure le jeûne. Toutes les sociétés depuis le début de l'humanité ont pratiqué le jeûne. Tous les animaux cessent de manger instinctivement dès qu'ils se sentent mal. Ils jeûnent pour faciliter le processus de guérison de leur organisme. Des travaux scientifiques ont démontré qu'un jeûne tous les ans pendant une semaine permettrait de diminuer de façon drastique le nombre de maladies graves dont les cancers.

Dans notre société d'abondance, il est normal d'hésiter à entreprendre un jeûne, hantés que nous sommes à vivre le ventre plein. La peur du lendemain nous incite à remplir nos réfrigérateurs et nos garde-manger et nous fait traiter notre ventre de la même manière. Le jeûne ne s'improvise pas. À moins d'expérimenter un jeûne très court d'un à trois jours, il est souhaitable de ne pas se lancer "les yeux fermés" dans un jeûne sans préparation et sans être encadré par des personnes compétentes. On peut jeûner de plusieurs façons.

Le jeûne est le fait de ne pas ingérer d'aliments solides tout en continuant à absorber des liquides. Ce peut être de l'eau (jeûne intégral) mais aussi des jus de fruits ou de légumes ou encore des bouillons de légumes et des infusions. Le jeûne représente le moyen le plus puissant de désintoxication; et en raison de son caractère intense et des surprises qu'il peut occasionner, il vaut mieux s'y engager progressivement et avec prudence. Avant de pratiquer des jeûnes, il est souhaitable d'expérimenter des diètes de désintoxication avec des aliments.

Les cures alimentaires

Les cures d'aliments frais peuvent s'avérer des moyens de désintoxication très efficaces et très régénérants. Les germinations (luzerne, tournesol, fenugrec et sarrasin), les légumes et les fruits ont un grand pouvoir de revitalisation et de reminéralisation. On peut ne consommer qu'une seule sorte de légumes ou de fruits - très frais et crus de préférence - pendant un ou plusieurs jours et expérimenter un grand bien-être. On évitera de mélanger fruits et légumes au cours d'une même cure, ces deux catégories d'aliments font appel à des processus de digestion différents.

Les cures à base de plantes

Depuis toujours, les plantes ont joué un rôle déterminant dans la vie de l'homme. D'abord source alimentaire, elles sont aussi une pharmacie vivante pour soigner une foule d'affections. La phytothérapie moderne connaît maintenant, grâce aux analyses chimiques, la composition des plantes, la quantité précise de principes actifs qu'elles contiennent et leur action sur l'organisme. Ce qui autrefois était considéré comme des "remèdes de grand-mères" constitue maintenant une pharmacopée moderne contrôlée par des moyens scientifiques. Une cure de désintoxication à l'aide de complexes de plantes thérapeutiques peut rétablir l'équilibre de nos multiples fonctions. On doit cependant garder en tête que la nature a ses lois et que le corps fonctionne selon des rythmes bien précis qu'on ne peut bouleverser du jour au lendemain. Des changements progressifs et l'élimination de nombreux produits nocifs dans son alimentation sont des conditions indispensables pour obtenir les résultats espérés.

Un jeûne ou une cure de désintoxication sont des moments privilégiés pour établir une nouvelle relation avec soi-même. Une relaxation profonde, l'expérience d'un nouveau bien-être physique et psychologique, la disparition de plusieurs malaises sont autant de bénéfices procurés par la désintoxication. De très nombreuses personnes ayant pratiqué des techniques décrites précédemment ont découvert leur pouvoir thérapeutique conduisant à un nouvel art de vivre, fait de vitalité, de joie et de sérénité.

La peau : organe d'élimination

La plupart d'entre nous avons tendance à sous-estimer l'importance de la peau. Pourtant, elle est l'organe le plus volumineux du corps et elle a de multiples fonctions. Elle respire, elle élimine une grande partie de nos toxines, elle protège l'organisme contre l'entrée des virus, des microbes et des bactéries, elle nous protège des rayons nocifs du soleil, elle retient les nombreux fluides dans lesquels baignent nos tissus et nos organes, elle régularise la température du corps. Enfin, elle contient, comme nous l'avons vu plutôt, une foule de terminaisons nerveuses nous permettant de percevoir les sensations de toucher, de froid, de chaleur et de douleur.

Quand on entreprend un processus de désintoxication du corps, il est bon de se rappeler que l'ensemble de nos organes d'élimination, dont la peau, travaillent davantage. Brosser la peau régulièrement sur toute la surface du corps pendant une cure permet de libérer plus rapidement les toxines accumulées. Le brossage de la peau apporte aussi bien d'autres bienfaits. En activant la peau, on lui redonne plus de tonus et de fermeté. La circulation sanguine et notamment la circulation lymphatique sont améliorées et c'est tout l'organisme qui s'en ressent. Il est suggéré d'utiliser une brosse dont les poils sont fabriqués à partir de fibres végétales comme le sisal et le loofa. Le brossage de la peau peut se faire à sec, dans le sauna, dans le bain ou sous la douche à la condition d'utiliser un nettoyant corporel au pH neutre. Il faut éviter l'utilisation de savons alcalins : ils dessèchent la peau et accélèrent son vieillissement.

Si le brossage de la peau s'avère un moyen utile pendant une période de désintoxication, il peut aussi être pratiqué régulièrement. Certains le pratiquent même tous les jours et en retirent beaucoup de bienfaits.

Découvrez vos symptômes d'intoxication

	Oui	Non

Symptômes physiques

En vous réveillant
- les paupières enflées ou collées ☐ ☐
- les yeux rouges ☐ ☐
- le nez bouché ☐ ☐
- des sécrétions dans le nez ☐ ☐
- la bouche pâteuse ou sèche ☐ ☐
- la langue chargée d'une couche
  blanche ou jaune ☐ ☐
- mauvaise haleine ☐ ☐
- besoin de tousser et de cracher ☐ ☐
- des douleurs au cuir chevelu ☐ ☐

Pendant la journée
- des maux de tête fréquents ☐ ☐
- la vue trouble ☐ ☐
- des maux de ventre ☐ ☐
- de la constipation ☐ ☐
- des douleurs dans
  certaines parties du corps ☐ ☐
- des raideurs dans
  les articulations et les muscles ☐ ☐
- des troubles de la peau et des cheveux ☐ ☐
- des vertiges ☐ ☐
- de la fatigue générale ou chronique ☐ ☐
- des rages de sucre ☐ ☐

	Oui	Non

Symptômes émotionnels

- impression d'épuisement   ☐   ☐
- manque d'entrain   ☐   ☐
- mauvaise humeur   ☐   ☐
- agressivité   ☐   ☐
- anxiété   ☐   ☐

Symptômes mentaux

- impression d'être embrouillé   ☐   ☐
- esprit confus   ☐   ☐
- mémoire défectueuse   ☐   ☐
- indécision   ☐   ☐
- concentration difficile   ☐   ☐

Chapitre IX
L'exercice physique

À regarder les jeunes enfants bouger dans leurs activités physiques, on réalise que notre corps est conçu pour être actif. Le mouvement caractérise notre espèce de même que toutes les espèces animales. Voilà pourquoi nous sommes dotés de force, d'agilité, de souplesse et de coordination. La vie est en mouvement perpétuel et c'est celui-ci qui assure le dynamisme des énergies. Autrefois, les gens vivaient beaucoup à l'extérieur. La marche en forêt, la culture des champs, la pêche, les travaux manuels étaient autant d'activités procurant à l'homme l'exercice nécessaire à son fonctionnement. En quelques générations, nous avons évolué vers un style de vie complètement différent. Notre richesse a accentué notre confort matériel aux dépens de notre bien-être physique. L'automobile, la télévision, les ordinateurs ont une grande utilité de nos jours mais n'ont rien pour nous maintenir en forme. Bien au contraire, ils nous rendent de plus en plus sédentaires pour ne pas dire, dans beaucoup de cas, paresseux. Pour rester en bonne santé, forts et souples, pour que nos différents systèmes, musculaire, squelettique, circulatoire, respiratoire, nerveux et digestif, soient en bon état, un minimum d'exercice physique s'impose.

Dès l'âge de 25 ans, nous commençons à perdre une partie de nos capacités. Nous perdons rapidement ce que nous n'utilisons pas. Les muscles non activés perdent de leur tonus et de leur force. Les ligaments qui rattachent les muscles aux os se rétrécissent. Les os immobiles se décalcifient et deviennent plus fragiles. L'exercice physique fait régulièrement ralentit le processus de dégénérescence tout en procurant une sensation de bien-être appréciée de ceux qui en font.

Pour être en forme, il ne s'agit pas nécessairement d'entreprendre un programme exigeant et de s'astreindre à des horaires rigides. Chacun, selon son tempérament, sa constitution corporelle et sa condition physique choisira les activités lui convenant le mieux. Si, par exemple, vous êtes une personne âgée, vous éviterez les mouvements brusques susceptibles de provoquer des tensions excessives. Vous préférerez des exercices comme la marche à pied, la natation, le T'ai Chi ou le yoga. Si vous êtes une personne à l'esprit de compétition développé, vous aurez tendance à choisir des sports violents. Vous pourriez équilibrer vos activités par des exercices plus doux comme les étirements, le yoga, la relaxation.

Les bienfaits de l'exercice physique

Il est aujourd'hui médicalement prouvé qu'un exercice physique fait régulièrement est un facteur déterminant sur la santé. Plusieurs tests ont démontré qu'un programme de remise en forme de dix semaines faisait chuter les taux de sucre, de lipides et de cholestérol dans le sang et accroître la force, l'endurance et la souplesse. D'autres bénéfices, tels la réduction des tensions, l'amélioration de la capacité respiratoire, la diminution de la masse graisseuse et l'accroissement du bien-être général, peuvent être associés à la pratique d'un programme d'exercices physiques. L'ensemble du métabolisme s'améliore, le coeur se fortifie, la digestion devient plus aisée, la peau se débarrasse de ses toxines et les chairs s'affermissent. De nombreux problèmes de santé, allant de l'angoisse à l'ostéoporose, en passant par l'insomnie, l'obésité, le tabagisme, l'alcoolisme, le diabète et la dépression s'amenuisent en faisant régulièrement de l'exercice.

L'inverse est tout aussi vrai. L'inactivité favorise la maladie et les douleurs. Ceux qui abandonnent tout exercice physique en perçoivent rapidement les effets négatifs : affaiblissement des muscles, carence en calcium, déclin du bien-être en général.

Si on souhaite demeurer en bonne condition, il faut adopter dans ses activités un régime de vie qui permette d'inclure un programme régulier d'exercice. On prend souvent le prétexte du temps qui nous manque pour ne pas faire d'exercice. Si on ne prend pas le temps maintenant pour se maintenir en forme, tôt ou tard on devra prendre du temps pour être malade. L'autre prétexte est celui de l'âge. Il n'y a pas d'âge pour faire de l'exercice et il n'est jamais trop tard pour commencer à en faire. Prenons l'exemple d'Henri Nadeau. À 60 ans, sa santé était fragile. Désireux de prendre sa santé en main, il développe et met au point une technique simple et efficace, appelée aujourd'hui la Technique Nadeau. Grâce à ce système d'exercices, il retrouve la santé et une forme physique qu'il n'avait pas connues depuis l'âge de 20 ans. La Technique

Nadeau est un excellent système d'exercices à la portée de tous; elle permet, au moyen de trois exercices seulement, de faire bouger toutes les articulations, de les régénérer et de développer son endurance. Somme toute, l'important n'est pas d'être jeune mais de se sentir jeune. Il y a des gens de 70 ans qui sont plus en forme que des jeunes de 20 ans qui se nourrissent aux chips et aux colas, qui ne font pas d'exercice, qui passent la moitié de leur vie "avachis" devant le petit écran et qui se sentent continuellement fatigués.

Les objectifs à atteindre

Notre style de vie ne nous fournit habituellement pas suffisamment d'occasions de donner à notre corps une condition physique idéale. Voilà pourquoi il faut déterminer un programme personnel qui permette de suppléer à nos besoins. Un programme d'exercices physiques doit faire travailler tout le corps et viser l'atteinte de cinq objectifs :

– Développer la capacité d'oxygénation du corps;

– Développer l'endurance;

– Maintenir la souplesse des muscles et des articulations;

– Doter le corps d'une force adéquate;

– Assurer la coordination des mouvements.

Avant d'entreprendre un programme d'exercices, il n'est pas nécessaire de passer une série de tests et d'examens, à moins de souffrir de malaises sérieux. L'Association des cardiologues du Québec recommande un électro-cardiogramme d'effort (ECG) chez ceux qui présentent au moins trois des facteurs de risque suivants :

1) Âge supérieur à 40 ans;
2) Hypertension artérielle;
3) Tabagisme;
4) Taux de cholestérol élevé;
5) Diabète.

Les exercices aérobiques

L'activité aérobique est l'activité physique la plus bénéfique au système cardio-vasculaire. Une activité aérobique est une activité d'endurance qu'on peut effectuer en fournissant un effort soutenu avec une intensité moyenne pendant un certain temps (pas moins de dix minutes). La marche rapide, le jogging, le cyclisme, le ski de fond ou la natation pratiqués au moins trois fois par semaine, augmentent l'apport en oxygène et fortifient le coeur. En se renforçant, le coeur pompe plus de sang avec moins d'effort. Toutes les cellules du corps sont alors nourries grâce à un apport supplémentaire d'oxygène. Résultat : tout l'organisme, incluant ses nombreux systèmes, se renforce, se régénère et vieillit moins rapidement.

Un corps sain a besoin d'un entraînement complet. Certaines catégories d'exercices font appel à la force, d'autres à la souplesse et d'autres à la coordination; peu d'exercices répondent à tous nos besoins. Il est donc souhaitable de choisir des exercices variés qui soient complémentaires pour assurer une condition physique optimale. Il y a trois éléments importants à considérer dans un programme équilibré : premièrement, on doit pratiquer une forme d'activité aérobique afin de stimuler les systèmes cardio-vasculaire et respiratoire et en augmenter leur capacité. Le programme doit être adapté à son niveau et avoir une durée de 25 minutes, pratiqué trois fois par semaine et idéalement tous les deux jours. Deuxièmement, on doit pratiquer quotidiennement des exercices d'étirement et d'assouplissement. Enfin, on doit choisir une technique de relaxation à être pratiquée régulièrement afin de reposer le corps et le remettre en état.

Tableau comparatif des activités physiques

Le tableau ci-contre compare différents sports et activités physiques en fonction des critères d'oxygénation de l'organisme, d'endurance, de souplesse, de force et de coordination qu'ils peuvent procurer à ceux qui les pratiquent de façon assidue. À chacun de choisir la ou les activités qui lui convient le mieux.

La marche : le plus naturel des exercices

De tous les exercices permettant d'augmenter la capacité d'oxygénation et l'endurance, la marche est sûrement l'exercice le plus simple. C'est le plus vieil exercice au monde et il ne demande aucun apprentissage. La marche ne demande pas d'équipement spécial, si ce n'est des vêtements simples et de bonnes chaussures à talon plat ; c'est une activité économique que tout le monde, quel que soit son âge, peut pratiquer. À moins d'être postier et marcher 10 à 12 kilomètres par jour d'un bon pas, très peu de gens marchent suffisamment dans la journée. Un pro-

Tableau comparatif des activités physiques	Oxygénation	Endurance	Souplesse	Force	Coordination
Badminton	••	••	••	••	••
Ballet	••	••	•••	•	•••
Canoë	••	•••	•	•••	••
Cyclisme	•••	•••	•	••	
Danse aérobique	•••	•••	••	•	•••
Gymnastique	•	••	•••	••	••
Hockey	••	••	••	••	••
Jogging	•••	•••	•	••	
Marche rapide	•••	•••	•	•	
Natation	•••	•••	•••	••	••
Patin	••	••	••	••	•
Poids et appareils	•	••	•	•••	
Squash	••	••	••	••	••
Ski alpin	•••	••	••	••	••
Ski de fond	•••	•••	••	•••	••
Soccer	•••	••	••	••	••
T'ai Chi	•	•	•••	•	••
Technique Nadeau	••	•••	•••	•	••
Tennis	••	••	••	••	••
Yoga	•	•	•••	•	•

Bon • Très bon •• Excellent •••

gramme de marche exige un peu de bonne volonté et de discipline au début mais on peut en retirer d'énormes bienfaits. L'important est de commencer à son rythme par une petite marche de 1 à 2 kilomètres, juste suffisante pour ne pas sentir de fatigue. Progressivement, on augmente la distance sans augmenter la vitesse pour plus tard augmenter la distance et la vitesse.

Le Docteur Kenneth Cooper a conçu un programme de marche progressif de 16 semaines. Il comprend cinq marches par semaine avec une augmentation progressive de la durée et de la distance parcourue. Ce programme n'est pas particulièrement exigeant puisque la progression se répartit sur plusieurs semaines. Nous reproduisons ici les paramètres du programme; on peut les modifier pour les adapter à sa propre condition physique et à ses objectifs. Pour retirer le maximum de bénéfices d'un tel programme, il est important de marcher dans un endroit agréable, bien aéré et de préférence où il y a des arbres comme un parc, une rue bordée d'arbres, une petite forêt; le vert des feuilles est reposant pour l'esprit. La marche, de plus, permet de faire toutes sortes de découvertes : l'exploration de nouveaux endroits, regarder les mêmes lieux avec un regard différent et aussi une bonne occasion de réfléchir en paix et de s'explorer soi-même. C'est sans doute l'activité la plus naturelle qui soit.

On peut augmenter la dépense énergétique et l'intensité cardio-vasculaire procurées par la marche en la pratiquant de façon sportive. Dans ce cas, il vaut mieux prévoir des chaussures spéciales pour éviter tout problème aux pieds et aux genoux. La marche sportive se pratique de diverses façons : en augmentant la vitesse, en balançant vigoureusement les bras, en ajoutant des bracelets lestés aux poignets (200g et plus), en marchant sur un terrain en pente, ou en terrain montagneux. Si vous adoptez une de ces techniques de marche, attendez-vous à une bonne sudation et à brûler davantage de calories. Vous réaliserez aussi que la majorité des muscles du corps sont sollicités.

Semaine	Distance parcourue pour chacune des marches	Temps
1	1,6 km	15 mn
2	1,6 km	14 mn
3	1,6 km	13 mn 45 s
4	2,4 km	21 mn 30 s
5	2,4 km	21 mn 30 s
6	2,4 km	21 mn 30 s
7	3,2 km	28 mn
8	3,2 km	27 mn 45 s
9	3,2 km	27 mn 30 s
10	3,2 km	27 mn 30 s
11	4 km	35 mn
12	4 km	34 mn 30 s
13	4,8 km	42 mn
14	4,8 km	42 mn
15	4,8 km	42 mn
16	6,4 km	56 mn

Garder sa souplesse à tout âge

Quand on est jeune et même plus âgé, on a tendance à penser que l'exercice physique est associé au développement musculaire. La souplesse est un élément essentiel à une bonne condition physique. Même ceux qui s'entraînent en force doivent conditionner leurs muscles et leurs articulations par des étirements avant de commencer une session et après l'avoir terminée. En vieillissant, les muscles, les ligaments et les tendons perdent de leur élasticité; s'ils ne sont pas entretenus régulièrement, ils deviennent plus fragiles et sources de blessures. Les articulations sont faites de ligaments et de tendons reliant les os entre eux et aux muscles. Ces tissus ne contiennent pas de capillaires sanguins; ils sont donc difficiles à irriguer. Avec l'âge, ils ont tendance à durcir et à s'ankyloser facilement. Pour conserver des articulations et l'ensemble de la structure en santé, il faut choisir des exercices favorisant l'amplitude des mouvements.

La colonne vertébrale

De toutes les parties du corps, il en est une dont il faut particulièrement prendre soin : la colonne vertébrale. Chez tous les vertébrés, dont nous sommes, elle constitue la base de notre structure. Elle est d'une importance capitale : elle nous permet de rester debout, elle sert d'attache aux viscères et, enfin, elle renferme la moelle épinière, système vital à toutes les fonctions du corps.

Les torticolis, les maux de dos, les lombalgies et les sciatiques sont là pour nous rappeler sa vulnérabilité. Elle requiert donc un soin particulier. La pratique d'exercices d'échauffement, d'étirement et d'assouplissement peut aider grandement à prévenir les maux de dos ou à rétablir sa condition. Les mouvements doivent s'effectuer d'une manière détendue et rythmée. Lorsque bien exécutés, ils favorisent la maîtrise de la respiration tout en redonnant de l'énergie au corps. Quelques minutes par jour suffisent pour obtenir de bons résultats au bout d'un certain temps.

La neurostimulation doit être considérée comme une aide précieuse dans la prévention des maux de dos et dans le rétablissement à un état confortable. En faisant les applications de base décrites à la page 51, bien des troubles peuvent diminuer considérablement et même disparaître après une utilisation régulière d'un appareil TENS. Voir aussi les applications particulières pour soulager les douleurs au dos et le renforcer.

Chapitre X
La relaxation

Dans un monde où la pollution atmosphérique, le bruit, la compétition et les pressions financières constituent les conditions de vie de beaucoup de gens, notre organisme a tendance à vivre dans un état de stress permanent. Progressivement et sournoisement, sa capacité à faire face à de telles conditions s'épuise. Les conséquences se font sentir au plan physique par des malaises et des douleurs et sur le plan psychologique en affectant notre bien-être et notre équilibre.

Hans Selye, celui qu'on a surnommé le "père du stress", a découvert, au début des années quarante, que le stress est la réponse physique, mentale et émotionnelle à une stimulation quelconque. Face à une situation qui excite, surprend, effraie, agresse ou provoque de la colère, l'organisme réagit en sécrétant plusieurs types d'hormones. Les plus connues, l'adrénaline et la noradrénaline préparent le corps à l'agression par des réactions physiques: accélération du rythme cardiaque, contraction de l'estomac et de l'intestin et diminution de l'activité de digestion. Ces réactions peuvent aussi provoquer des changements dans la circulation sanguine, l'augmentation de la tension artérielle, l'augmentation de la production d'acide dans l'estomac, l'élévation du taux de sucre dans le sang.

Selon notre personnalité, notre état de santé, nos prédispositions naturelles et notre humeur du moment, nous réagissons tous différemment aux situations stressantes. Un simple embouteillage peut occasionner chez certaines personnes un stress très important alors que d'autres réagissent calmement devant la perte d'un proche.

Les facteurs de stress

Les chercheurs en psychologie du comportement ont identifié un facteur déterminant dans l'influence qu'exerce le stress sur un individu. La façon dont on interprète un événement au moment où il se produit, fait toute la différence entre deux personnes. Une situation ou un événement donnés ne sont pas stressants en soi; notre façon de les interpréter les rend stressants. Il y a, bien sûr, une foule de facteurs de stress qui échappent généralement à notre contrôle. Le bruit autour de nous, la perte d'un emploi, la mort d'un parent ne sont pas des situations que nous contrôlons. Par contre, plusieurs substances stimulantes pour l'organisme comme le café, la nicotine, l'alcool, le sucre, certains médicaments, les additifs alimentaires ont tendance à épuiser nos réserves énergétiques et à nous rendre beaucoup plus vulnérables au stress.

Ces substances peuvent aider à l'occasion à faire face à une situation inhabituelle mais, à long terme, non seulement elles ne règlent rien mais elles peuvent engendrer de nombreux problèmes. Leur réduction ou leur élimination favorise un meilleur équilibre nerveux permettant de mieux "interpréter" les situations stressantes.

Nous n'avons pas toujours l'occasion de nous dégager immédiatement par l'action ou par une réaction saine d'une situation stressante. Dans un tel cas, la frustration et les émotions non exprimées créent des blocages qui, plus tard, influenceront notre comportement et même notre état de santé.

À moins d'avoir appris à identifier ses propres sources de stress et à relaxer, nous risquons de présenter éventuellement des signes de tension chronique comme trop fumer, trop boire, trop manger. Si on ne prend pas garde à ces signaux d'alarme, petit à petit, notre système immunitaire s'affaiblit et la porte s'ouvre toute grande pour laisser entrer dans sa vie la douleur et la maladie.

Le stress peut être un allié

Au judo, il existe une technique toute simple pour vaincre un adversaire. On utilise la force et le poids de l'adversaire pour le déséquilibrer. En prenant cette technique comme modèle, on peut utiliser le stress causé par une situation et s'en servir comme tremplin pour changer son attitude, entreprendre une nouvelle carrière, canaliser son énergie dans une autre direction. Prenons un exemple tout simple: vous êtes arrêté à un feu rouge qui ne semble pas vouloir changer au vert. Vous vous impatientez, vous klaxonnez, votre tension monte, vous vous énervez, vous êtes sur le point de vous mettre dans une colère sans nom. La situation devient des plus stressantes pour vous.

Vous n'avez aucun contrôle sur le mécanisme permettant de changer les feux de circulation. Cependant vous pouvez, si vous le désirez, avoir le contrôle sur vos propres mécanismes d'interprétation. Si vous profitiez de l'occasion pour observer les automobilistes "tempestant" autour de vous, peut-être trouveriez-vous la situation très drôle. Vous convertiriez alors une source de désagrément en une occasion de rire et de vous détendre. Un autre exemple: plusieurs personnes interprètent la retraite comme une sorte de condamnation à ne plus rien faire et y voient là une situation stressante. Elles sont désemparées devant ce changement important dans leur existence. Mais en interprétant la situation d'une autre façon, la retraite peut être le commencement d'une nouvelle vie, le début d'une autre carrière, l'occasion de réaliser une foule de rêves. Il en est ainsi pour une foule de situations dans la vie. Si on place un verre d'eau à moitié rempli devant vous. Comment le voyez-vous? À moitié vide ou à moitié plein?

Le stress ne devient nuisible que lorsqu'il dépasse notre seuil d'adaptation ou notre seuil de tolérance. Pour éviter de dépasser ce seuil, il faut privilégier des moments ou des activités nous permettant d'évacuer la vapeur de temps en temps ou encore de pratiquer des techniques de relaxation.

Réduire le stress dans sa vie

Combien de fois disons-nous: "je suis pressé, je n'ai pas le temps". Alain Hervé a écrit avec un certain humour: "Qu'est-ce qui nous presse d'aller si vite à notre mort? Car nous n'allons que là. Alors, ralentissons, nous avons tout notre temps. Prenons notre temps. Le temps, c'est le luxe, le luxe absolu." Y a-t-il des recettes miracles pour réduire le stress dans sa vie? Non. Un peu comme on apprend à conduire une automobile, on peut apprendre à gérer son stress en y mettant un peu de temps et d'attention. Voici quelques façons:

- Modifier son régime alimentaire en réduisant notamment la consommation de viande rouge et de stimulants.

- Faire davantage d'exercice physique et s'oxygéner au grand air.

- Apprendre à mieux utiliser son temps en se gardant des moments de loisirs, du temps avec les amis, du temps pour rire.

- Se débarrasser des gestes et des activités inutiles et frustrantes dans son quotidien.

- Éviter les gens qui nous empoisonnent l'existence.

- Apprendre à exprimer ses émotions. Les émotions refoulées développent le ressentiment, l'agressivité et la colère.

- Trouver des activités où on se sent utile. Si le travail n'apporte pas les satisfactions désirées, il faut en trouver dans ses loisirs ou changer de travail, si c'est possible. Le sentiment d'inutilité a été identifié comme un des principaux facteurs de stress dans notre société.

- Se réserver des moments pour se détendre, relaxer et méditer.

Il existe de nombreux moyens de relaxation ne demandant pas d'entraînement spécial: écoute de musique apaisante, écoute d'une cassette subliminale, bain chaud (pas plus de 47-C) aux huiles essentielles, massage, infusion de tilleul ou de fleurs d'oranger. Il existe aussi plusieurs techniques comme le yoga, l'anti-gymnastique et le training autogène qui apportent une grande détente tout en faisant prendre conscience des points de tension dans le corps. Pour que la relaxation soit bénéfique, elle doit se faire dans un état d'éveil; on doit demeurer conscient de son corps au repos, de sa respiration et de ce qui se passe autour de soi. Nous proposons ici une méthode toute simple inspirée d'une posture classique du yoga.

Choisissez un endroit calme, où pendant un certain temps vous ne serez pas dérangé. Vous pouvez accompagner cette période d'une musique relaxante. Portez des vêtements confortables, enlevez vos chaussures, dégrafez votre ceinture. Étendez-vous simplement sur le dos, paumes vers le haut légèrement écartées du corps, les pieds écartés d'environ 45cm, bien détendus, penchant vers l'extérieur. Fermez les yeux et expirez lentement. Concentrez-vous sur les mouvements de votre abdomen. Si vous êtes particulièrement tendu, essayez la technique suivante: placez une main sur le ventre et l'autre sur la poitrine. Commencez à inspirer profondément. À l'inspiration, sentez votre main posée sur l'abdomen se soulever beaucoup tandis que l'autre se déplace légèrement. Essayez d'effectuer 8 à 12 inspirations en tentant d'adopter un rythme de plus en plus lent. Lorsque vous sentirez une certaine détente, reposez vos mains par terre comme à la position de départ.

Poursuivez la respiration et concentrez-vous sur elle. À chaque expiration, sentez la tension diminuer en vous. Puis à chaque inspiration, imaginez votre souffle comme étant une lumière blanche et douce qui vient libérer les tensions dans chaque partie de votre corps. Commencez par les pieds, expirez, vos pieds se détendent complètement, puis à l'expiration suivante les chevilles se détendent, puis les mollets, les cuisses, le bassin et remontez ainsi tout le long du corps jusqu'à la tête. Enveloppez votre tête de lumière, voyez-la faire disparaître toute crainte, toute colère, toute émotion négative et vous apporter le calme et la paix. Essayez de toujours garder le contact mental avec chaque partie du corps. Lorsque vous sentirez un relâchement complet, vous pourrez reprendre vos activités.

La relaxation consciente est pratiquement indispensable aujourd'hui pour apprendre à gérer son stress dans ce monde agité que nous connaissons. Associée aux applications de la neurostimulation telles que décrites précédemment, elle peut être un outil précieux pour apprendre à mieux se connaître et à maîtriser sinon à éliminer les douleurs de toutes sortes.

Chapitre XI
L'arthrite et le rhumatisme

Des millions de personnes en Amérique du Nord souffrent d'arthrite et de rhumatismes divers. On attribue souvent à l'hérédité et aux microbes la cause de ces maladies. N'entend-on pas souvent dire : "Mon père et ma grand-mère faisaient de l'arthrite, c'est normal que j'en fasse". On oublie sans doute que si les mêmes habitudes de vie néfastes se répètent d'une génération à l'autre, les mêmes malaises vont aussi se reproduire. Ainsi en est-il des maladies d'origine microbienne. "Les microbes ne sont rien, c'est le terrain qui est tout", a dit le grand scientifique Claude Bernard. Il signifiait par là qu'un organisme sain est immunisé contre les microbes. Ainsi, plusieurs personnes autour de vous peuvent avoir la grippe, mais si votre système immunitaire est suffisamment résistant, vous ne l'aurez pas.

L'acidification des tissus

Les analyses de sang et d'urine des arthritiques et des rhumatisants révèlent habituellement un haut pourcentage d'acidité. Une alimentation trop copieuse et trop riche en viandes, sucreries, alcool, café, thé, chocolat et boissons gazeuses malmène l'organisme et y laisse des résidus acides et toxiques. Une grande consommation de protéines d'origine animale favorise l'accumulation de déchets azotés comme l'urée, les urates et l'acide urique, difficiles à éliminer. Chez les personnes souffrant d'arthrite et de rhumatisme, l'acidification peut se comparer à l'effet corrosif du sel sur les voitures en hiver.

Pour neutraliser les acides en excès, l'organisme va déplacer ses bases alcalines en les prélevant surtout dans le système osseux. Notre état de santé est fortement conditionné par un équilibre acido-basique dans l'organisme. Si l'équilibre est rompu, le pH du sang se modifie, tout le système digestif est affecté, les aliments sont mal digérés, le foie et les reins ne font plus leur travail convenablement. L'organisme devient de plus en plus surchargé de toxines et de moins en moins capable de les éliminer.

Les organes d'élimination

Le foie joue un rôle capital dans le maintien de la pureté de nos humeurs (sang, lymphe, liquide cellulaire). Les Orientaux l'appellent, à juste titre, le "général en chef". Son mauvais fonctionnement entraîne très souvent le désordre des autres organes et d'autres systèmes. Son rôle est très complexe. Mentionnons entre autres fonctions, celles de métaboliser les éléments nutritifs et de détruire ou de neutraliser les poisons. L'excès de viandes grasses, de fritures, de sauces riches, de produits laitiers surmène le foie et le rend déficient à la longue. Cette déficience hépatique engendre d'autres troubles comme la perturbation de la flore intestinale. Certaines bactéries intestinales peuvent détruire des toxines, empêcher la putréfaction et combattre la prolifération des microbes. Mais un colon surchargé présente habituellement un milieu acide. En milieu acide, les défenses immunitaires baissent, le risque de propagation des infections augmente, la maladie s'installe.

Ce qui est vrai pour le foie l'est aussi pour les reins. Ils agissent comme une véritable usine d'épuration. Ils filtrent, trient, dosent, éliminent ou retiennent les substances nourrissant le sang. Le bon fonctionnement du foie, des reins et des autres organes d'élimination est donc d'une nécessité absolue pour assurer un bon état de santé.

L'encrassement des humeurs par la surcharge de déchets azotés, un mauvais métabolisme des protéines et une acidification des tissus caractérisent les personnes souffrant d'arthrite et de rhumatisme. Le retour à un état de santé normal doit passer par des changements profonds dans ses habitudes de vie.

La réforme alimentaire

Une réforme de ses habitudes alimentaires s'avère un facteur déterminant pour redonner à l'organisme son équilibre acido-basique et alléger le travail du système digestif. La suralimentation est caractéristique de notre société. Elle entraîne un surcroît de travail pour le foie et les reins. Dans un premier temps, il faut voir à ne manger qu'à sa faim sans se "bourrer la panse". La deuxième étape porte sur le choix des aliments. Il va de soi que, pour rétablir l'équilibre, certains aliments tombent dans la catégorie "à éviter" tandis que d'autres doivent être consommés avec modération; et puis il y a ceux devant être privilégiés pour leur caractère bénéfique à l'organisme. Enfin, les aliments riches en purines et formateur d'acide urique dans l'organisme devraient être supprimés complètement. Une troisième règle à suivre est celle de manger simplement en évitant un grand nombre d'aliments à un même repas. À cet égard les buffets des restaurants sont, de façon générale, de véritables désastres pour la digestion.

Nous proposons ici de façon sommaire des directives sur les aliments à supprimer, à éviter, à consommer avec modération et à consommer régulièrement. Cette nomenclature favorise, on le comprendra, le remplacement des aliments acidifiants par des aliments alcalins. Après un certain temps d'une alimentation plus alcaline, on peut décider de réintroduire des aliments plus acides, si l'organisme est en mesure de les tolérer. Ainsi, on aura avantage à éviter les agrumes et les tomates au début de la réforme alimentaire quitte à les réintégrer dans son alimentation plus tard si cela ne porte pas à conséquence.

À supprimer

— La charcuterie et les pâtés à base de viande grasse, cretons, rillettes, jambon.

— Les viandes grasses, les graisses cuites, les sauces riches.

— Les abats : foie, rognons, ris de veau.

— Les fritures dans la graisse, le beurre ou l'huile.

— Le sucre raffiné sous toutes ses formes : sucre blanc, pâtisseries, gâteaux, bonbons, confitures.

— Les farines blanches : pain blanc, riz blanc, pâtes, biscottes, biscuits, pâtisseries.

- Les aliments contenant des colorants, des levures chimiques, des parfums artificiels, de l'alcool.
- Les conserves.
- Le café, le thé, le cacao, le chocolat, les boissons gazeuses.

À *éviter*

- La viande rouge, la viande blanche, la volaille : *enlever tout le gras et ne pas manger la peau.*
- Les crustacés, les mollusques et quelques poissons : sardine, anchois, hareng, caviar, anguille, saumon, thon à l'huile.
- Les bouillons de viande et les potages gras.
- Les produits laitiers faits de lait de vache : *remplacer le lait entier par du lait écrémé ou du lait de chèvre ou du lait de soja, les fromages gras par des fromages maigres, du yogourt et du kéfir.*
- Le sel, le poivre, les épices, le vinaigre blanc, la moutarde, la mayonnaise.
- Les légumineuses : lentilles, haricots secs, pois, soja.
- Les végétaux riches en acide oxalique : asperges, champignons, épinards, oseille, tomates.
- Les pâtisseries contenant des oeufs, du lait et du sucre.
- Les boissons alcoolisées : bière, vin, cidre, spiritueux.
- Les agrumes qui n'ont pas mûri au soleil : citrons, oranges, pamplemousses, mandarines.

À consommer avec modération

– La volaille et le poisson : *les cuire en cocotte, à l'étouffée, au court-bouillon ou au four; toujours les accompagner de légumes verts et de légumes crus (une salade par exemple) : la chlorophylle des plantes tend à neutraliser l'effet nocif de l'acide urique sur les tissus des articulations; pour faciliter la digestion, éviter de manger la viande et le poisson avec des féculents (pommes de terre, pâtes, riz).*

– Les oeufs : deux à quatre par semaine.

– Les fromages maigres : cottage, quark, ricotta, féta, fromage de chèvre.

– Le beurre : *le manger frais, jamais cuit.*

– La margarine : *choisir une margarine faite d'huiles végétales non hydrogénées.*

– Le blé, le seigle, l'avoine, riches en gluten, et les produits faits à base de ces céréales.

– Les fruits acidulés : fraise, framboise, bleuet, kiwi.

– Les fruits oléagineux : arachide, noix du Brésil, Grenoble, acajou, pacane : *leur préférer les amandes, noisettes et les graines de tournesol, de citrouille et de sésame.*

– Le miel non pasteurisé, la mélasse noire non raffinée, le sucre brut.

À consommer régulièrement

– Les légumes en feuilles : laitue, choux, kale, bettacarde, persil.

– Les légumes verts, jaunes, rouges : courgette,

L'arthrite et le rhumatisme

courge, fèves, céleri, artichaut, poivron, brocoli, choux-fleur, concombre.

- Les légumes racines : carotte, panais, navet, rabiole, radis, betterave.
- L'ail, l'oignon, l'échalotte, le poireau.
- Les germinations : luzerne, fenugrec, radis, tournesol, sarrazin.
- Les fruits, de préférence les fruits doux : pomme, poire, pêche, melon, banane, nectarine, prune, mangue, papaye, figue, datte. *Il est préférable de manger les fruits seuls ou avec des produits laitiers, au petit déjeuner ou entre les repas comme collation.*
- Les céréales à grain entier : riz, millet, sarrazin, orge, germe de blé, tapioca.
- Les algues : spiruline, varech, kombu, hijiki, dulse.
- Les produits du soja : tofu, lait de soja.
- Le yogourt, le kéfir, le petit lait (lactosérum).
- Les huiles végétales de première pression à froid.
- Les jus de légumes ou de fruits fraîchement extraits : *boire à petit gorgée et bien insaliver avant d'avaler.*
- Les aromates : basilic, estragon, marjolaine, romarin, sarriette, thym.
- Les infusions et tisanes à base de plantes, les cafés de céréales.
- Le vinaigre de cidre de pomme : *riche en silice, potassium, calcium et magnésium, il aide l'organisme à assimiler le calcium et à le nettoyer des dépôts calcaires. Façon de le prendre : une cuillère*

à soupe de vinaigre de cidre avec une cuillère à soupe de miel dans un verre d'eau chaude; bien mélanger, boire lentement au lever ou avant les repas.

Le mode de vie

Il n'y a pas deux personnes souffrant d'arthrite ou de rhumatisme qui vivent la même expérience. Il y a cependant de nombreuses habitudes de vie communes à ces personnes. Et le plus important pour retrouver son équilibre physique est de corriger les mauvaises habitudes, souvent transmises par l'éducation, qui provoquent la maladie et la douleur. L'arthrite et le rhumatisme, comme toutes nos maladies de civilisation, se soignent et se guérissent en respectant les lois de la Nature et en utilisant des moyens naturels pour se rétablir. L'alimentation demeure, comme on l'a vu, le jalon le plus déterminant sur la route du changement vers un nouveau mode de vie. Cependant, il ne faut pas oublier d'autres éléments importants à intégrer dans ses habitudes.

Se désintoxiquer régulièrement

L'alimentation recommandée précédemment allègera grandement le fonctionnement des organes de la digestion. Des cures de désintoxication faites régulièrement (chaque saison si possible) peuvent améliorer plus rapidement le sort de la personne souffrante. Voir à ce sujet le chapitre sur la désintoxication. Les cures de jus de carotte et de céleri frais sont particulièrement efficaces comme moyen d'assainissement de l'organisme. Certaines plantes peuvent aussi être d'un grand secours pour aider au rétablissement. Rappelons que tout traitement favorisant le bon fonctionnement du foie, des reins et des intestins concourra à amoindrir le mal, en débarrassant le corps de ses toxines et de ses déchets accumulés souvent depuis longtemps.

Éliminer les sources de stress

Comme on l'a vu au chapitre sur la relaxation, le stress peut être dommageable aux plans physique et psychique. Hans Selye, dont on a déjà parlé, a démontré au cours de ses expérimentations que le début d'une période stressante est toujours marqué d'une insuffisance hépatique. Cela signifie qu'il y a ralentissement des fonctions de la digestion. À la longue cela peut produire, chez certains individus, une rétention des déchets toxiques dans le corps. Dans cette perspective, il devient primordial d'éliminer de sa vie les facteurs de stress et aussi toute pensée négative. La peur, la haine, la méfiance, le ressentiment, l'appât du gain, les troubles conjugaux, les conflits de travail, le sentiment d'inutilité sont générateurs de tensions et de blocages dans l'organisme. La relaxation, la méditation et la visualisation sont des techniques à intégrer dans sa vie. Elles permettent dans un premier temps de mieux contrôler les périodes de souffrance et éventuellement de changer son attitude face à la vie en modifiant son interprétation des événements stressants.

Faire de l'exercice physique régulièrement

L'exercice physique fait régulièrement est un complément indispensable à une saine alimentation. C'est un excellent moyen d'aider l'organisme à transformer les substances alimentaires en énergie vitale tout en le désintoxicant. Les personnes souffrantes verront à incorporer un programme d'exercices physiques de façon progressive en étant respectueuses de la condition de leur corps. Les premiers exercices devraient être des exercices respiratoires. Par la suite, on intégrera des exercices d'étirement pour assouplir et rendre plus mobiles les articulations.

Marcher au grand air active les systèmes respiratoire, cardio-vasculaire et musculaire. Des études ont aussi démontré que marcher régulièrement avait une influence favorable sur le système osseux en participant à la fixation du calcium. (voir exposé sur la marche)

Être en harmonie avec les éléments naturels

L'air pur dans un environnement non pollué, est source de revitalisation des cellules et de renouvellement de ses énergies. Il faut chercher les occasions de prendre l'air et de s'oxygéner à la campagne, en montagne ou à la mer. Le soleil, au même titre que l'oxygène, est un des éléments naturels les plus essentiels au maintien de notre santé. La peau est à la fois un organe d'élimination et une glande. Elle a la propriété de synthétiser la vitamine D, une vitamine essentielle dans le processus de calcification du système osseux. Les arthritiques et les rhumatisants ont habituellement des organismes déminéralisés. L'exposition au soleil est donc capitale pour eux.

Avoir recours à la neurostimulation

La neurostimulation transcutanée a le grand avantage d'apporter un soulagement rapide et sans effets secondaires aux douleurs. Si le soulagement n'est pas immédiat, il faut avoir la volonté de poursuivre les traitements de façon régulière et assidue pour obtenir des résultats. Les traitements locaux seront encore plus efficaces s'ils sont complémenter par les applications de base expliquées en pages 51 à 53.

Les microcourants de la neurostimulation agissent sur trois plans : ils activent les muscles autour des articulations, ils améliorent la circulation sanguine des tissus entourant les cartilages et les ligaments, enfin ils agissent sur les nombreuses terminaisons nerveuses, réceptrices de la douleur (voir explications plus complètes dans la première partie du livre).

Consulter un thérapeute qualifié

Nous avons voulu dans ce chapitre donner des conseils pratiques pour non seulement aider les arthritiques et les rhumatisants à soulager leurs douleurs mais surtout leur indiquer comment retrouver un état de bien-être et de santé. Nous avons voulu jeter ici les bases de tout traitement efficace en considérant la personne souffrante dans sa globalité. Cette personne a un corps physique, des émotions, un psychisme, des croyances, elle vit dans un environnement qui lui est propre. Certaines personnes auront plus de facilité à prendre leur santé en mains. Leur évolution dans la vie est peut-être plus avancée que celle d'autres personnes. Cependant, les problèmes de santé des arthritiques et des rhumatisants sont souvent complexes et chaque cas doit être traité individuellement. Se prendre en charge ne doit pas exclure le recours et l'aide d'un praticien de santé expérimenté. Sa formation et son expérience devraient lui permettre d'établir un diagnostic en fonction d'un contexte particulier et d'offrir à la personne souffrante les meilleurs conseils possibles.

Chapitre XII
Le bel âge

La publicité nous a tellement montré d'images glorifiant une certaine jeunesse belle et en santé qu'on en est venu à déprécier une des plus belles périodes de la vie: la vieillesse. Vieillir pour beaucoup de gens est synonyme de dégénérescence. Il est vrai qu'à partir d'un certain âge les cellules ne se reproduisent plus autant et que le corps perd une partie de ses capacités. Toutefois, considérer la vieillesse comme une phase de déclin est davantage une question de perception que de réalité.

Exploiter son potentiel

Des chercheurs en gérontologie de l'Université de Sherbrooke ont démontré que les gens âgés vivant heureux étaient ceux qui avaient la capacité de continuer à développer leur potentiel psychologique et de l'exercer dans les diverses situations de la vie. Cette période de la vie peut donc être marquée par la croissance, le dynamisme et l'intégration de son expérience et de ses possibilités.

Bien gérer son temps libre, consacrer du temps à sa santé physique et mentale, demeurer actif aux plans physique, intellectuel et social, manifester de la tendresse et de l'affection à son entourage sont les facteurs-clés pour vivre cette période de la vie dans la joie et la sérénité. Pour profiter pleinement de ces années, il ne s'agit pas de renoncer à ce qui est mauvais pour soi. Il s'agit plutôt de canaliser ses énergies dans d'autres directions qui permettent de rester jeune de tête et de coeur. Apprendre de nouvelles choses, aborder un nouveau passe-temps, intégrer de nouvelles activités sociales, méditer régulièrement sont autant d'activités stimulantes pour le cerveau et l'ensemble de l'organisme.

La santé et la longévité

Vieillir n'est pas non plus synonyme de maladie. On peut vivre en très bonne santé jusqu'à un âge avancé, à la condition de respecter certains principes. Il existe dans le monde quelques endroits privilégiés où le nombre de centenaires est plus élevé qu'ailleurs. Des études anthropologiques portant sur des centenaires vivant dans ces régions, notamment dans les montagnes du Caucase en Russie, au Pakistan occidental (les Hounza dont nous avons déjà parlé) et en Équateur ont permis d'identifier des facteurs communs à ces communautés. Ces facteurs semblent favoriser la santé et la longévité:

1. Les influences génétiques;

2. Une alimentation frugale comprenant peu de produits d'origine animale mais riche en légumes, fruits et céréales;

3. Une consommation d'alcool occasionnelle;

4. Un contact étroit avec la nature, en vivant en dehors des grandes villes;

5. Un haut niveau d'activités physiques au grand air;

6. Une vie sexuelle active jusqu'à un âge avancé;

7. Une place importante dans la vie familiale et dans les affaires de la communauté.

Ces études concordent avec plusieurs autres enquêtes sérieuses faites auprès de groupes où les gens vivent très vieux. Ces facteurs sont, comme on peut le constater, des principes de vie tout simples. Il est sans doute de moins en moins facile de nos jours de s'éloigner des grands centres urbains pour vivre à la campagne, près de la nature, mais on peut toujours trouver des moyens de compenser en menant sa vie sous les signes de l'activité et de la simplicité et rester en forme.

La neurostimulation avec un appareil TENS fait partie de ces moyens. Lorsqu'on avance en âge, il faut parfois une plus grande volonté pour changer son mode de vie. Pour conserver un aspect jeune, une silhouette agréable, cela demande un peu d'effort. La neurostimulation, en agissant sur le système nerveux peut maintenir un état de bien-être supérieur et atténuer bien des malaises et des douleurs. En agissant sur les muscles, elle peut activer et tonifier les tissus ayant tendance à s'affaiblir et à se relâcher.

Les valeurs de la sagesse
Pour terminer ce chapitre, nous allons citer monsieur Gilbert Leclerc, directeur du programme d'enseignement et de recherche en gérontologie à l'Université de Sherbrooke.

"Le troisième âge fournit aux personnes âgées l'occasion de trouver le rôle qu'aucun autre groupe d'âge ne peut remplir à leur place. Ce rôle consiste à rappeler au monde que les valeurs de l'être priment sur celles de l'avoir, que le développement global de la personne est plus important que le développement professionnel et que la collaboration, le partage et l'amitié l'emportent sur le rendement, l'efficacité et la compétition. "

Conclusion

La douleur et la maladie font partie de la vie. Elles sont des manifestations nous rappelant sans cesse nos limites mais surtout que nous avons hérité, à la naissance, du bien le plus précieux de tous : la santé. On entend parfois dire : "Qu'il est donc chanceux d'être en santé!" On oublie que la personne réellement en santé obéit habituellement aux lois de la Nature. La santé n'est pas une question de chance, mais plutôt de choix. Bien sûr, nous n'avons pas tous la même hérédité. Cependant, nous avons tous un potentiel énergétique que nous pouvons développé selon nos moyens.

Dans ce livre nous avons tenté d'ouvrir une fenêtre sur de nouveaux horizons de santé. La neurostimulation transcutanée demeure une thérapeutique efficace et naturelle pour soulager bien des maux. Bien utilisée, elle est aussi un outil de prévention et de rééquilibre des énergies vitales. Toutefois, on doit se rappeler que la véritable santé est à la fois physique, mentale et spirituelle. Le philosophe grec Platon a écrit avec beaucoup de sagesse, il y a plus de 2000 ans : "Le traitement de la partie ne doit pas être entrepris sans que l'on traite le tout. On ne doit pas tenter de soigner le corps sans soigner l'âme et si l'esprit et le corps doivent être sains, il faut commencer pas traiter le mental."

Nous formons un tout indissociable où tout est intimement relié. Nos malaises affectent nos pensées et notre comportement; nos émotions affectent notre état de santé. Soulager ses douleurs devrait être considéré comme un cheminement où dans un premier temps on apprend le respect de son corps. Il faut aussi se nourrir de pensées et d'émotions positives pour vivre en grande harmonie avec soi-même et avec les autres.

Plusieurs de nos malaises à l'âge adulte sont le résultat de nos résistances au changement. En prenant de l'âge, nous avons tendance à nous accrocher aux idées reçues, à nos habitudes et à notre confort. L'amélioration de sa qualité de vie passe par la connaissance, l'expérimentation et le changement. Rappelez-vous la joie que vous manifestiez lorsque, encore enfant, vous veniez de faire une grande découverte. Il n'y a sans doute pas de joie plus grande que celle provenant de la réalisation d'un idéal. Vivre en santé est un bel objectif à atteindre; mais il ne peut être atteint sans un effort de tous les jours dans la poursuite de cet idéal.

Nous espérons que ce livre, en vous éclairant sur de nombreuses méthodes de santé, vous permettra de vivre pleinement et harmonieusement jusqu'à un âge avancé.

Bibliographie
et références

Albert, R.: La santé sans prescription, *Cahac*, 1989.

Ali, J., Yaffe, C.S., et al: The effect of transcutaneous electrical nerve stimulation on post-operative pain and pulmonary function. *Surgery*, Apr. 1981, 89(4), pp. 507-512.

Anderson, B.: Stretching. *Shelter Publications Inc.*, 1980.

Bates, J. A. and Nathan, P.W.: Transcutaneous electrical nerve stimulation for chronic pain. *Anaesthesia*, Aug. 1980, 35(8), pp. 817-822.

Beaulieu, G.: Vaincre la douleur. *Les publications du Québec*, 1987.

Beck, J. and D.: Les endorphines. *Le Souffle d'or*, 1988.

Bélanger, B.: La Nutrénergie. *Les Éditions Québecor*, 1990.

Brown, S.: Sarah Brown's Healthy Living Cookbok. *Dorling Kindersley*, 1985.

Coleman, D.L.: Control of postoperative pain. Non-narcotic and narcotic alternatives and their effect on pulmonary function. *Chest*, Sept. 1987, 92(3), pp. 520-528.

Cousins, N.: La volonté de guérir. *Éditions du Seuil*, 1980.

Docteur Soleil: Apprendre à se détoxiquer. *Éditions Soleil*, 1984.

Docteur Soleil: Apprendre à se nourrir. *Éditions Soleil*, 1983

Dougherty, R. F.: Transcutaneous electrical nerve stimulation: an alternative to drugs in the treatment of acute and chronic pain. Presented at the 34th Annual Scientific Assembly, American Academy of Family Physicians, San Francisco, CA, Oct. 1982.

Dubos, R.: Mirage of health. *Perennial Library*, Harper & Row, 1971.

En collaboration: The Incredible Machine. *The National Geographic Society*, 1986.

Ersek, R. A.: Relief of acute musculoskeletal pain using transcutaneous electrical neurostimulation. *JACEP*, Jul. 1977, 6(7), pp. 300-303.

Hervé A.: L'homme sauvage. *Vivre/Stock*, 1979.

Jarvis, D.C.: Arthrisis and Folk Medecine, *Fawcet Crest*, 1960.

Kaada, B.: Systemic sclerosis: Successful treatment of ulcerations, pain, Raynaud's phenomenon, calcinosis, and dysphagia by transcutaneous nerve stimulation. A case report. *Acupuncture and Electro-therapeutics Research*, 1984, 9, pp. 31-44.

Kaada, B.: Use of transcutaneous nerve stimulation in the treatment of chronic ulceration and peripheral vascular disorders. *Acupuncture and Electro-therapeutics Research*, 1985, 10(3), pp. 234-236.

Koening, P., Marchal, N.: Guide pratique des vitamines. *L'Étincelle*, 1988.

Kumar, V.N. and Redford, J.B.: Transcutaneous nerve stimulation in rheumatoid arthritis. *Archives of Physical Medicine and Rehabilitation*, Dec. 1982, 63(12), pp. 595-596.

Labelle, Y.: L'arthrite une souffrance inutile, *Fleurs sociales*, 1987.

Lefort, J.: Traitements naturels de la douleur. *Éditions Dangles*, 1984.

Levy, A., Dalith, M., et al: Transcutaneous electrical nerve stimulation in experimental acute arthritis. *Archives of Physical Medicine and Rehabilitation*, Feb. 1987, 68, pp. 75-78.

Lewers, D., Clelland, J.A., et al: Transcutaneous electrical nerve stimulation in the relief of primary dysmenorrhea. *Physical Therapy*, Jan. 1989, 69(1), pp. 3-9.

Lewith, G.T., Horn, S.: Drug-free Pain Relief. *Thorsons Publishing Group*, 1987.

Mc Keown, T.: Les déterminants de l'état de santé des populations depuis trois siècles: le comportement, l'environnement et la médecine. in Médecine et société, les années 80. *Éditions coopératives Albert Saint-Martin,* 1981.

Mervyn, L.: Dictionnaire des vitamines, *Québec / Amérique,* 1987.

Mongeon, S.: Vivre en santé. *Éditions Québec Amérique,* 1982.

Moreau, J.P.: Le Stretching, *Primeur,* 1984.

Pekka, J.: Low frequency TNS in peripheral vascular disorders. *Acupuncture and Electro-therapeutics Research,* 1986, 11(3-4), pp. 297-298.

Quinton, D.N., Sloan, J.P., et al: Transcutaneous electrical nerve stimulation in acute hand infections. *Journal of Hand Surgery,* June 1987, 12(2), pp. 267-268.

Renard, L.: Le cancer apprivoisé. *Éditions Soleil,* 1990.

Schwob, M.: Victoire sur vos douleurs avec l'électrostimulation individuelle. *Édition Propos,* Juin 1988.

Smith, C.R., Lewith, G.T., Machin, D.: TNS and Osteo-arthritic Pain. *Physiotherapy,* Aug. 1983, 69(7), pp. 266-268.

Stanway, A., Grossman, R.: The Natural Family Doctor. *Gaia Books Limited,* 1987.

Stewart, P.: Transcutaneous nerve stimulation as a method of analgesia in labour. *Anaesthesia,* Apr. 1979, 34(4), pp. 361-364.

Thorsteinsson, G.: Chronic pain: use of TENS in the elderly. *Geriatrics,* Dec. 1987, 42(12), pp. 75-82.

Trattler, R.: Better Health through Natural Healing, McGraw-Hill, 1985.

Ward, B.: The Body and Health. *McDonald Educational Ltd.,* 1976.

IMPRIMERIE QUEBECOR
L'ÉCLAIREUR
21446